Les Événements

DU MÊME AUTEUR

chez le même éditeur

La Clôture, 2002, Folio n° 4067, 2004
Chrétiens, 2003, Folio n° 4413, 2006
Terminal Frigo, 2005, Folio n° 4546, 2007
L'homme qui a vu l'ours, 2006
L'Explosion de la durite, 2007, Folio n° 4800, 2008
Un chien mort après lui, 2009, Folio n° 5080, 2010
Le Ravissement de Britney Spears, 2011, Folio n° 5543, 2013
Ormuz, 2013

Les autres livres de Jean Rolin sont répertoriés en fin de volume

Jean Rolin

Les Événements

P.O.L
33, rue Saint-André-des-Arts, Paris 6e

ISBN : 978-2-8180-2175-0
www.pol-editeur.com

C'était un des petits plaisirs ménagés par la guerre, à sa périphérie, que de pouvoir emprunter le boulevard de Sébastopol pied au plancher, à contresens et sur toute sa longueur. En dépit de la vitesse élevée que je parvins à maintenir sans interruption, entre les parages de la gare de l'Est et la place du Châtelet, j'entendais éclater ou crisser sous mes pneus tous les menus débris que les combats avaient éparpillés : verre brisé, matériaux de construction hachés en petits morceaux, branchettes de platane, boîtes de bière ou étuis de munitions. Ici et là se voyaient également quelques voitures détruites, parmi d'autres dégâts plus massifs. Sur le terre-plein central de la place du Châtelet, à côté de la fontaine, des militaires en treillis, mais désarmés, en application des clauses du cessez-le-feu, montaient la garde, ou plutôt allaient et venaient, autour de l'épave calcinée d'un véhicule blindé de transport de troupes. D'autres militaires, qui me firent signe de passer, avaient établi un barrage filtrant en travers du boulevard du Palais, puis, de nouveau, à l'entrée du boulevard Saint-Michel. Plus loin, devant le lycée Saint-Louis, dont le bâtiment principal était éventré sur près de la moitié de sa hauteur, des gravats et du mobilier scolaire étaient amoncelés, à demi consumés et parcourus encore par quelques flammèches. Au niveau du carrefour de Port-Royal – où la guerre n'était représentée que par cette statue du maréchal Ney qui le montre le sabre érigé, coiffé de son bicorne et conduisant une charge virtuelle –, j'ai dû ralentir pour éviter un chien, tout d'abord, puis les deux types qui s'étaient lancés à sa poursuite, et dont l'un, le plus rapproché de l'animal, brandissait ce qui me parut être une broche de rôtissoire.

Cela faisait plusieurs jours que je guettais le moment favorable pour sortir de Paris et m'en éloigner vers le sud. Grâce aux hommes de Brennecke, qui en contrepartie m'avaient chargé d'un colis à lui remettre, et dont je présumais qu'il contenait des médicaments nécessaires à son traitement, je disposais d'assez de carburant pour me rendre au moins jusqu'à Clermont-Ferrand, et peut-être au-delà. Mes papiers étaient en règle, dans la mesure où une telle notion avait encore un sens, et je m'étais procuré dans les ruines d'un supermarché, curieusement ignorées par les pillards, suffisamment de vivres pour tenir une semaine ou deux, même si les emballages de ceux-ci (les vivres) affichaient pour certains une date de péremption largement dépassée. Mais, à ce point, qui se souciait de ce genre de détails ? Passé la porte d'Orléans, l'état de la chaussée – défoncée par endroits, et partiellement barrée, de loin en loin, par des amas de choses qui n'auraient pas dû s'y trouver – m'avait contraint à réduire ma vitesse, et à rouler souvent à une allure qui m'exposait à plusieurs sortes de déboires, dont le moindre eût été que l'on me contraignît à stopper afin de voler ma voiture. Ce n'était cependant qu'une Toyota assez moche, et d'un modèle ancien, mais du moins était-elle en état de rouler, et cette circonstance faisait d'elle un bien rare et précieux. En fin de compte, je dus pourtant m'arrêter, de moi-même, sous le coup d'une violente envie de pisser, devenue intenable au moment où, ayant atteint Arcueil, dans le cours de ma progression vers le sud, je me disposais à franchir l'intersection de l'avenue Aristide-Briand et de l'avenue Marx-Dormoy. Après m'être garé au pied de l'immeuble abritant les locaux de la société Visium – un immeuble dont la façade vitrée et la porte à tambour présentaient de nombreux impacts, causés par des projectiles de calibres divers –, j'attendis quelque temps avant de sortir de la voiture, inspectant les environs, d'où n'émanait aucun signe d'une présence quelconque, puis je m'emparai dans la boîte à gants du pistolet semi-automatique – d'un modèle ancien, lui aussi, comme la Toyota, mais comme elle en état de marche – que les hommes de Brennecke m'avaient remis en même temps que le colis destiné à leur chef. Je pris le pistolet mais je négligeai de l'armer, car je ne me voyais pas faire feu sur un quidam pour la simple raison qu'il aurait interrompu ma miction. À ce propos, d'ailleurs, je constatai que, n'ayant que deux mains, il m'était impossible, ou du moins difficile, de tenir en même temps, et avec la même assurance, l'arme et ma queue, et je pris le parti, pour être plus à l'aise, de fourrer la première dans ma poche gauche. C'est en pissant contre la porte à tambour, ou ce qu'il en restait, et seulement à ce moment-là, peut-être en raison de l'incongruité de la situation – car, normalement, je n'étais pas du genre à pisser en plein jour dans l'entrée d'un immeuble de bureaux –, ou de la précarité de ma propre position, aussi longtemps que j'aurais la braguette ouverte et ma main droite indisponible, que je remarquai le silence qui pesait en ce début d'après-midi sur le carrefour étrangement nommé de la Vache-Noire : pas un bruit, sinon celui, ténu, bien qu'inconvenant, que je faisais moi-même en pissant sur des éclats de verre, et celui, presque imperceptible, d'un souffle d'air passant parmi les arbres, raides comme des baguettes de tambour, dont était planté le terre-plein central du carrefour. Et aussi, par moments, des aboiements lointains ; car si c'était un temps difficile pour les hommes, il ne l'était pas moins pour les chiens. En me retournant, une fois reboutonné, je vis qu'un grand type, noir, vêtu d'une djellaba, le visage glabre – a priori, il ne s'agissait donc pas d'un salafiste –, se tenait debout à côté de la voiture, armé d'une machette avec laquelle il avait peut-être formé le projet de m'assaillir, ou peut-être pas. Après tout, s'il avait eu de telles intentions, le plus simple aurait été de me frapper alors que je n'avais pas encore remarqué sa présence et que je lui tournais le dos. « Tu vas où ? » m'a demandé le type, cependant que je dégageais de ma poche gauche la crosse du pistolet, afin de lui faire comprendre que j'étais armé, moi aussi, et disposant sous ce rapport d'un matériel plus performant que le sien. « Par là. » Du menton, je désignais tout le territoire s'étendant au sud du carrefour, sans plus de précision. « Je viens avec toi. » Et le type, ce disant, imprimait à sa machette un mouvement d'oscillation, mais si léger qu'il ne constituait pas encore une menace explicite. « Impossible. Je n'ai pas les papiers m'autorisant à prendre un passager. » Car si faible, si atténué, que fût désormais le prestige de l'administration, je ne doutais pas que le type eût retenu, de son passé, la crainte de contrevenir à ses règles. Je vis qu'il hésitait. « Il y a un barrage un peu plus loin – évidemment, je n'en savais rien, mais tout indiquait que nous finirions par en rencontrer un –, ils ne vont pas te laisser passer. » Le visage du type exprimait la déception plutôt que la colère. En fait, il avait une bonne tête, et je m'en voulais un peu de ne pas avoir accédé à sa demande, même s'il était évident que sa présence à mes côtés, dans la suite de ce voyage, n'aurait pu m'attirer qu'un surcroît de désagréments. « Donne-moi quelque chose à manger », dit le type, qui semblait avoir renoncé à son projet de m'accompagner. Dans la boîte à gants – à côté du pistolet qui momentanément se trouvait dans ma poche gauche –, j'avais stocké quelques barres chocolatées, des biscuits et deux ou trois cartouches de cigarettes, tant pour ma consommation personnelle, sur la route, qu'afin de parer à des circonstances de ce genre. Je lui tendis deux paquets de Pailles d'or – mes préférés –, une poignée de barres de Mars et une cartouche de Marlboro (ce dernier article d'une valeur déjà inestimable, et qui était appelée à s'élever si le désordre persistait). Le type s'en saisit, les contempla quelque temps d'un air songeur, estimant peut-être qu'il n'y avait pas le compte, puis s'éloigna sans me remercier. Dès qu'il eut disparu, à l'angle du magasin Mondial Moquette, je remontai dans la voiture, replaçai le pistolet dans la boîte à gants, puis démarrai sur les chapeaux de roues en faisant patiner mon embrayage, comme je l'avais vu faire à ces véhicules de miliciens ou de simples pillards, dépourvus de plaques d'immatriculation et parfois grossièrement camouflés, qui depuis quelques semaines, et sans doute pour longtemps, étaient à peu près seuls à rouler dans Paris.

Au milieu du champ se voyaient les dépouilles d'un nombre indéterminé de curés morts. Peut-être six ou sept : les positions variées dans lesquelles ils étaient répandus, en vrac, autant que leur éloignement de la route, ou la hauteur des jeunes pousses – du maïs, il me semble – dont le champ était couvert, tout cela faisait qu'il était difficile d'établir leur nombre avec plus de précision. Plus de cinq, en tout cas, enveloppés dans des soutanes noires qui les désignaient – s'il ne s'agissait pas d'un déguisement, ou d'une mise en scène – comme des prêtres traditionalistes. Quant à ce champ, c'était le premier de son espèce en bordure de la N 20, et comme un avant-poste de la pseudo-campagne au sein de la pseudo-ville. À l'opposé de la route nationale, il était borné par l'autoroute A 10, distante peut-être d'un kilomètre. Au sud, vers Longjumeau, on distinguait la masse sombre d'un bois, à la lisière duquel buissonnait cet arbuste – le prunelier ? – qui est à la fin de l'hiver l'un des premiers à fleurir, et dont les haies blanchâtres, vues de loin, donnent une impression de légèreté vaporeuse et presque immatérielle. Mises ensemble, toutes ces choses – bois sombre, haies vaporeuses, champs verdissants, amas de curés morts – auraient composé un beau sujet pour un peintre de genre. Ce qui aurait pu nuire, toutefois, à l'unité d'une telle œuvre, c'étaient les constructions qui s'élevaient en bordure de la route, tout d'abord du côté gauche de celle-ci, aussi longtemps qu'elle longeait le champ de maïs, puis, au-delà, des deux côtés. Certaines, au niveau de l'intersection de la N 20 et de la D 120, étaient d'une laideur familière, dans la mesure où elles appartenaient à des chaînes – Buffalo Grill, Léon de Bruxelles, McDonald's – implantées sur tout le territoire. D'autres présentaient une laideur plus spécifique, résultant d'initiatives individuelles et locales dont la plus remarquable était imputable à un entrepreneur vraisemblablement d'origine grecque, qui face au champ de maïs avait aménagé successivement un hôtel, le Parthénon, à la longue façade scandée de grêles colonnes, puis une boîte de nuit, l'Acropole, principalement souterraine, dont l'entrée se signalait par un fronton triangulaire orné de divers motifs imités de l'antique. Au-delà, deux hôtels, le Stars et le Première Classe, se faisaient face de part et d'autre de la route. Au pied du Stars s'étendaient le terre-plein d'une station-service, puis un parking destiné plus particulièrement à la clientèle du restaurant Kanibalus, laquelle avait dû être nombreuse, jadis, à l'occasion des soirées karaoké que cet établissement accueillait en fin de semaine. Et tout ce qui précède – le bois, le champ, les routes principales et secondaires, le parking, les constructions d'une laideur banale ou spécifique –, tout cela était situé dans l'axe de la piste principale de l'aéroport d'Orly, et à peu de distance de son extrémité : de telle sorte qu'à intervalles irréguliers, cette section de la Nationale 20 était survolée à très basse altitude par des avions cargos, trains et volets sortis, affrétés par la Force d'interposition des Nations unies en France (FINUF). Afin de sécuriser l'aéroport – le seul, dans la région parisienne, qui eût été remis en service – et ses parages, la FINUF avait établi en ce point une position dotée d'importants moyens, y compris antiaériens, et dont le personnel occupait les locaux des hôtels

Stars et Première Classe ; le Parthénon, quant à lui, ayant été au préalable squatté par des réfugiés, surtout des femmes et des enfants, qu'il aurait été peu convenable de déloger par la force.

Les accréditations dont je disposais, et qui étaient rédigées à dessein dans un style à la fois vague et pompeux, me permirent d'occuper, pour la nuit, une chambre de l'hôtel Première Classe qu'un officier en déplacement avait laissée vacante. Située au troisième et dernier étage de l'établissement, la chambre, dans laquelle régnait un froid glacial – apparemment, le groupe qui alimentait le bâtiment en électricité n'était pas assez puissant pour remettre en service le chauffage, à moins que le matériel dont disposait l'hôtel fût inadapté à ce moyen –, la chambre donnait sur le champ de maïs, ménageant sur l'amas de curés morts une vue qui, bien que surplombante, ne me permit pas de déterminer leur nombre plus exactement que je n'avais pu le faire depuis le niveau du sol. La difficulté venait de ce que leurs corps étaient ainsi disposés qu'ils se recouvraient en partie les uns les autres. Avec des jumelles, peut-être aurais-je pu non seulement les compter, mais distinguer si certains tenaient dans leurs mains jointes un crucifix, ou quelque chose de ce genre, témoignant d'une fin héroïque, telle que leur en prêteraient de toute façon, pour les besoins de la propagande, les porte-parole de leur Église ou de leur secte. Et cela quand bien même, en réalité, ils auraient dans leurs derniers moments trépigné et embrassé les genoux de leurs bourreaux. Mais comment savoir ? Et d'ailleurs quelle importance ?

Le personnel de la FINUF à Chilly-Mazarin se composait à parts égales de militaires ghanéens et finlandais, et donc originaires de deux pays aussi peu suspects l'un que l'autre de parti pris dans nos discordes civiles. La chambre où je devais passer la nuit était occupée habituellement par un officier ghanéen de confession chrétienne, à en juger par les objets de piété – bible, crucifix, rameau de buis consacré – disséminés çà et là, parmi des souvenirs profanes tels que des photos de famille, faites pour la plupart sur le parvis d'une maison qui devait être la sienne, et dont je supposais qu'elle était située à Accra. Toujours est-il que l'officier ghanéen avait apparemment cinq enfants – trois filles et deux garçons, dont l'âge pouvait s'échelonner entre quatre et douze ans – et que sa maison, ou la maison devant laquelle avaient été faites les photos de famille, était entourée d'un jardin, abondamment fleuri d'hibiscus et de bougainvillées. Au moins dans un premier temps, la vue que l'on découvrait de la fenêtre, au troisième étage de l'hôtel Première Classe, sur le champ de maïs, la station-service et le parking du Kanibalus, la façade scandée de grêles colonnes de l'hôtel Parthénon, et au loin sur les toits du Léon de Bruxelles (tuiles vertes) ou du Buffalo Grill (tuiles rouges), cette vue avait dû lui paraître assez exotique, tandis que, quant à moi, et quand bien même on en aurait retiré les curés morts, comme cela se ferait nécessairement un jour ou l'autre, je la trouvais principalement déprimante. Au sujet de l'évacuation de ceux-ci (les curés morts), un officier finlandais, auprès duquel je m'étais enquis des raisons pour lesquelles on n'y avait pas déjà procédé, m'expliqua que l'état-major de la FINUF, d'ailleurs assez enclin, par nature, aux atermoiements, avait été prié par la Cour pénale internationale de La Haye de laisser les choses en l'état, jusqu'à l'arrivée d'un groupe d'experts mandatés par cette juridiction. Il ajouta, sans que je lui aie rien demandé, que les circonstances de ce massacre, qui devait remonter aux derniers jours de la semaine précédente, n'avaient pas été éclaircies, mais que dans la mesure où personne, la nuit précédant l'apparition des prêtres au milieu du champ de maïs, n'avait entendu de coups de feu, on présumait que leur exécution avait eu lieu ailleurs, et que les corps avaient été par la suite acheminés jusqu'ici et probablement déchargés d'un camion à la faveur de l'obscurité. Cela témoignait, à tout le moins, d'un défaut de vigilance, de la part des militaires de la FINUF cantonnés à proximité, mais je m'abstins de le lui faire remarquer : d'autant que la facilité avec laquelle on m'avait accueilli, après avoir regardé distraitement mes documents de voyage, procédait de ce même défaut de vigilance.

Le mess des officiers, auquel on me permit d'accéder, était aménagé dans la salle du Kanibalus, où se voyaient encore l'estrade et le micro qui avaient servi autrefois lors des soirées karaoké. Je dis « autrefois », mais je soupçonne qu'ils servaient encore, ou de nouveau, à cet usage, la présence de la FINUF, dès la fin des combats, ayant attiré toute une faune parmi laquelle c'était bien le diable s'il ne se rencontrait pas quelques adeptes du karaoké. D'ailleurs on disait aussi que l'Acropole – la boîte – fonctionnait de son côté à plein régime, au moins en fin de semaine, et que beaucoup de filles, issues pour certaines du camp de réfugiés installé dans l'hôtel Parthénon, et pour d'autres venues de plus loin, s'y rendaient régulièrement, dans l'espoir d'obtenir des militaires tel ou tel de ces produits, au premier rang desquels l'alcool et les cigarettes, qu'il était devenu presque impossible de se procurer autrement. Les officiers avec lesquels je dînai, finlandais ou ghanéens, se montrèrent généralement cordiaux, et peu curieux de savoir pour quelles raisons je voyageais, ni comment j'avais mis la main sur un véhicule en état de marche. D'ailleurs la situation en France ne paraissait guère les intéresser, les Ghanéens discutaient entre eux d'un tournoi de football, en Afrique de l'Ouest, qui devait opposer prochainement leur équipe à celle de la Côte-d'Ivoire, et les Finlandais des difficultés qu'ils éprouvaient pour faire venir de chez eux de la vodka Finlandia – l'une des meilleures, il est vrai –, ou telle autre délicatesse dont ils semblaient ne pas pouvoir se passer. Les uns et les autres, cependant, me manifestèrent un intérêt poli. Je remarquai aussi qu'en ma présence ils s'abstenaient de tout commentaire sur les filles qui fréquentaient l'Acropole, alors que, à n'en pas douter, ce sujet devait en temps normal être l'un des rares à rapprocher Ghanéens et Finlandais. Sachant que je prévoyais de repartir, dès le lendemain, vers le sud, l'officier le plus gradé me prit à part pour me prévenir que des coupeurs de route sévissaient aux abords de la forêt d'Orléans. « On dit que ce sont des Tchétchènes, ajouta-t-il, mais je pense qu'il s'agit d'une façon de parler. » En sortant du mess, après m'être assuré que ma voiture, là où je l'avais parquée, à côté de véhicules blindés de la FINUF, était à l'abri de toute mauvaise surprise, j'ai été repérer, à pied, la route que je devrais emprunter le lendemain. Sitôt passé sous ce qui devait être une bretelle d'autoroute, elle décrivait un faux plat, puis elle s'engageait dans une longue descente au bout de laquelle, dans l'obscurité, on apercevait le pont miniature, à trois arches, ornant le terre-plein central du rond-point qui marque l'entrée de Longjumeau, et en bordure de celui-ci le panneau signalant que la ville, quelques années auparavant, avait été distinguée pour la qualité de ses décorations florales.

À la sortie d'Étampes dans la direction de Sermaises, une partie délaissée de la chaussée forme sur le côté de la départementale 721 une sorte de bras mort, ou de méandre coupé, séparé de la route par une banquette herbue plantée de quelques arbres. Dans des circonstances normales, ce bras mort est utilisé de loin en loin comme parking, le plus souvent par des chauffeurs routiers désireux de se reposer. Le 16 août 2013, par exemple, au début de l'après-midi, on y remarquait un poids lourd immobilisé, moteur coupé, dont le chauffeur était probablement en train de faire la sieste. En bordure de ce parking, là où il confine aux surfaces cultivées, on notait aussi la présence d'un cadavre de martinet, celui-ci comme momifié, mais encore aisément reconnaissable à la forme en faucille de ses ailes noires. À la suite d'un printemps exceptionnellement pluvieux, cette année-là, et donc peu propice à la chasse au vol des insectes, hirondelles et martinets avaient été nombreux à mourir de faim. Non loin de l'oiseau mort gisait une chaussure de sport dépareillée, dont il s'avérait, quand on la soumettait à un examen attentif, qu'elle était presque neuve, et en parfait état, comme si sa séparation d'avec le pied qu'elle avait dû chausser résultait d'un accident plutôt que d'un geste délibéré (car nul n'envisage à la légère de se séparer d'une chaussure de sport presque neuve). Au milieu de l'été, les champs qui s'étendent à perte de vue, dans un rayon de 360° autour du parking, ces champs viennent pour la plupart d'être moissonnés. Ainsi la couleur qui prévaut est-elle celle des chaumes, que l'on ne risque rien à qualifier de jaune paille. Sur ce jaune paille des chaumes tranche le vert sombre des bois, ou des bosquets, et le vert indécis, diversement nuancé, des champs non récoltés de betteraves, de maïs ou de tournesols.

Tandis que, lorsque nous retrouvons le narrateur, au volant de sa Toyota, stationnant brièvement sur ce parking, afin de vérifier que les tirs de chevrotine qu'il croit avoir essuyés, plus tôt dans la matinée, n'ont pas fait de trous dans sa voiture, le même paysage de plaine céréalière, au sortir de l'hiver, présente une coloration plus terne, plus terreuse, outre que sa profondeur est limitée par une brume peu dense mais qui tarde à se lever. Enfin on en voit tout de même assez pour éprouver un sentiment angoissant de vacuité, à considérer trop longtemps ces champs nus, envahis ou non d'herbes folles – puisque les circonstances font qu'ils ne sont plus ensemencés –, dont la platitude est rendue plus sensible par la présence éparse de quelques objets dressés verticalement et anormalement élevés (anormalement de notre point de vue), isolés quand ils ne sont pas alignés par séries, tels que des silos à céréales ou des éoliennes aux pales généralement immobiles. Bref, c'est un paysage sans gaieté, du genre que même en temps de paix on associerait volontiers à l'idée de batailles meurtrières (de ces batailles qui peuvent durer plusieurs jours, ou plusieurs mois, sans que l'un des adversaires prenne sur l'autre un avantage décisif).

Quant à la raison pour laquelle le narrateur se retrouve sur la départementale 721, alors que nous l'avions laissé en bordure de la nationale 20, c'est apparemment qu'il a quitté celle-ci, au moment où elle s'engage dans la traversée d'Étampes, sur la foi d'informations discutables faisant état d'une reprise des combats dans le chef-lieu de l'Essonne, au confluent de la Chalouette et de la Juine. En temps de guerre, et même dans le contexte d'un couvre-feu globalement respecté – mais allez savoir jusqu'à quel point, et si c'est en tout lieu –, la plupart des informations recueillies à distance sur la situation particulière de telle ou telle route ou de telle ou telle localité s'avèrent inexactes, à l'usage, soit parce qu'elles vous ont été communiquées à la légère, ou de mauvaise foi, soit parce que la situation a évolué, dans un sens ou dans l'autre, entre le moment où ces informations ont été recueillies et celui où elles vous parviennent. Toujours est-il que le narrateur a quitté la nationale 20, au niveau de l'échangeur connectant cette dernière à la départementale 191, puis emprunté celle-ci, sur la gauche, jusqu'au rond-point où prend naissance la départementale 721, en bordure de laquelle, dans la direction de Sermaises, il s'est arrêté quelque temps, au milieu des champs nus et sous les éoliennes aux pales généralement immobiles, afin de vérifier si la carrosserie de sa voiture était exempte d'impacts. Après quoi, le nez dans la carte IGN au 350 000e, il observe avec irritation que la départementale 721, à peine née, au point où elle franchit la frontière entre le département de l'Essonne et celui du Loiret, change de numéro ; au risque d'engendrer chez un conducteur inattentif, ou au contraire trop enclin à consulter la carte, le sentiment qu'il s'est trompé de route. En même temps, il lui vient une certaine nostalgie de l'époque où l'on avait encore le loisir de pourvoir à ce genre de choses, le changement de numérotation des routes lorsqu'elles franchissent une frontière interdépartementale.

Pas plus que dans celle de Sermaises, je n'ai rencontré de difficultés dans la traversée de Pithiviers. Tout au plus ai-je dû accélérer, dans l'intervalle, à l'entrée de Bouzonville-en-Beauce, ou peut-être d'Intville-la-Guétard, pour éviter un type que j'avais vu surgir d'un hangar métallique qui devait abriter du matériel agricole, les bras levés, puis se diriger en courant vers la route, son visage, autant que je pus voir, tordu par une grimace de douleur, ou peut-être d'effroi. Dans l'ignorance de ce qu'il attendait de moi, si même il attendait effectivement quelque chose, ou de ce que j'aurais pu faire pour lui, je m'en voulais un peu, malgré tout, de ne pas m'être arrêté pour en avoir le cœur net. Mais il pouvait aussi bien s'agir d'un piège, et l'officier de la FINUF avec lequel je m'étais entretenu à Chilly-Mazarin m'avait prévenu que d'autres automobilistes, pour avoir cédé à un réflexe généreux et s'être arrêtés, dans des circonstances comparables, s'étaient fait voler leur véhicule, dépouiller des quelques objets de valeur qu'ils transportaient, et assassiner pour certains. La veille du jour où ils m'avaient hébergé, ils avaient ainsi vu venir sur la route un automobiliste ensanglanté, dépourvu de son automobile et presque entièrement dévêtu, auquel, m'avait dit l'officier, ils n'avaient pu prodiguer que des soins rudimentaires avant de lui enjoindre de repartir, à pied, dans la direction d'où il était arrivé, faute d'instructions de leur état-major sur ce qu'ils devaient faire dans un cas de ce genre. D'autant que l'homme ensanglanté et à demi nu était dans l'incapacité de justifier de son identité. « La FINUF, avait ajouté l'officier, a reçu un mandat précis, et elle n'a pas vocation à secourir toutes les misères, surtout quand elles n'affectent qu'un individu isolé. »

Au-delà de Pithiviers, la route, sur une trentaine de kilomètres, filait droit à travers des champs assez semblables à ceux que j'avais côtoyés auparavant dans la Beauce. D'ailleurs peut-être était-ce encore la Beauce, pour ce que j'en sais. Puis, juste avant de franchir par en dessous une autoroute évidemment déserte, elle faisait le tour d'un rond-point, le centre de celui-ci occupé par une butte herbue où la végétation, faute de soins, avait crû démesurément. Plus loin, passé Chilleurs-aux-Bois, commençait la forêt d'Orléans, dont les arbres, sombres de la ramure, portaient déjà pour certains quelques bourgeons d'une nuance plus pâle. Enfin je ne pourrais pas en jurer, mais c'est ce qu'il m'a semblé. À la sortie de Loury, un élevage de porcs en plein air – un élevage bio ? – alignait dans la boue ses abris en tôle, semi-cylindriques, apparemment vidés de leurs occupants habituels. C'est entre Loury et Traînou que, pour la première fois, j'ai remarqué sur les talus des touffes blanches de pâquerettes, jaunes de pissenlits ou de coucous. Et sans doute aussi d'autres fleurs que je ne pus distinguer, faute d'en connaître les noms. Au pied des arbres blanchissaient d'autre part des haies de pruneliers, à moins qu'il ne s'agît, car il était difficile de le vérifier à cette distance, de cette bourre blanchâtre que les lianes de la clématite sauvage arborent en hiver. Bien que le paysage, de ce fait, présentât un aspect plus avenant qu'auparavant dans la traversée de la Beauce, mon inquiétude croissait, malgré tout, au fur et à mesure que je me rapprochais de Châteauneuf, où des informateurs plus ou moins dignes de foi m'avaient assuré que le pont sur la Loire – le dernier de son espèce dans toute la région – était accessible à la circulation, et gardé, s'il l'était, par des miliciens relativement placides, qui me laisseraient passer moyennant le versement d'une petite obole. Entre Fay-aux-Loges et Châteauneuf, la route franchissait successivement un canal, puis une autoroute de nouveau, aussi déserte que la précédente, mais cette fois par au-dessus, enfin une voie ferrée en bordure de laquelle, dans un champ, j'observai que des grues cendrées étaient rassemblées en grand nombre.

Longtemps avant la guerre, à l'époque où une rumeur persistante me désignait comme l'amant de Brennecke, il était arrivé que nous allions pêcher le silure dans la Loire. Nous le faisions parfois en compagnie d'une jeune femme que Brennecke, pour donner le change, présentait comme sa petite amie, et dont j'étais secrètement amoureux. Enfin bon, ce n'est pas le moment de raconter ma vie. Et puisque la rumeur faisait de moi l'amant de Brennecke, mettons que je l'étais. Au cours de ces parties de pêche, Brennecke et la jeune femme étaient les seuls à prendre du poisson, ou au moins des silures : de mon côté, je ne suis jamais parvenu à pêcher quelque chose dont la taille excédât celle d'une tanche, ou d'un gardon. À vrai dire, le dégoût que m'inspiraient les silures – et surtout l'idée de devoir empoigner le corps onduleux et gluant de l'un d'entre eux pour le décrocher de l'hameçon –, ce dégoût, plus que ma maladresse, était peut-être ce qui me préservait d'en attraper. Quelquefois nous pêchions à partir de la berge, et plus souvent depuis une barque plate que Brennecke menait à la perche, sans beaucoup s'éloigner du bord. Mais c'était toujours à Châteauneuf que nous nous rendions pour ces parties de pêche, autant parce que le fleuve, à ce niveau, passait pour être spécialement poissonneux, que dans la mesure où Brennecke, non content de pêcher des silures, tenait à les manger, par la suite, si possible en matelote, tels que les préparait la patronne de ce restaurant situé à l'angle de la rue Saint-Nicolas et de la berge, dont la salle est décorée de photographies anciennes représentant le pont dans l'état où l'a laissé la débâcle de 1940 : c'est-à-dire pétardé par l'armée, dans sa retraite, et cassé en deux, les segments disjoints de son tablier suspendus dans un équilibre précaire au-dessus des eaux.

Lorsque je me suis présenté, au volant de la Toyota, pour franchir la Loire, c'est dans la salle à manger de ce restaurant, spacieuse, éclairée par de larges baies cintrées, que les miliciens qui gardaient le pont avaient établi leur octroi. Ils n'affichaient aucun signe d'appartenance à un parti quelconque, et leur armement disparate, composé principalement de fusils de chasse, les désignait plutôt comme des amateurs, heureux d'avoir trouvé ce moyen, momentanément sans danger, de contribuer au désordre général et d'améliorer leur ordinaire. Au moins quand ils étaient à jeun – comme c'était le cas lorsque je les ai abordés, à l'exception peut-être de l'un d'entre eux que je ne pouvais voir, car il se tenait caché dans la cuisine, mais que j'entendais souffler dans une trompe de chasse avec un enthousiasme et une maladresse suggérant un état avancé d'ébriété –, au moins quand ils étaient à jeun leur capacité de nuire devait être assez limitée. Tatillons, cependant, ils m'interrogèrent longuement et sans aucune méthode, vraisemblablement dans le seul but de faire monter les enchères. Puis ils exigèrent que je m'éloigne pendant qu'ils fouillaient la voiture (peu avant d'aborder leur position, j'avais eu la bonne idée de prendre sur moi le pistolet et ses chargeurs, estimant que le risque était plus grand de voir la boîte à gants ouverte que moi-même palpé). Comme ils n'avaient pas manifesté de préférence quant à la direction dans laquelle je devais m'éloigner, ni quant à la distance à laquelle je devais me tenir, je rejoignis en aval du pont la promenade pavée qui longeait le bord de l'eau, en contrebas d'une esplanade plantée de marronniers – où se voyait, et sans doute se voit encore, une colonne commémorant la crue de 1846 et dédiée « Aux braves mariniers de Châteauneuf » –, et je la suivis jusque-là où elle descendait, par un plan incliné, vers le fleuve. Quelques centaines de mètres en amont, la Loire écumait et bruissait en se divisant au passage des quatre piles du pont ; mais c'était au niveau de la quatrième et dernière (en comptant depuis la rive sur laquelle je me tenais) que le courant, apparemment, était le plus violent, et il en résultait un surcroît de remous en aval de celle-ci. Passé ces turbulences, la surface de l'eau, dont la coloration affectait différentes nuances de gris ou de brun selon que les nuages interceptaient plus ou moins le rayonnement solaire, la surface était marbrée de tourbillons, et c'est au défilement rapide de ces derniers, et à cela seulement, en l'absence de bois flotté ou d'autres débris visibles depuis la berge, que l'on pouvait mesurer la vitesse à laquelle ces masses d'eau continuellement renouvelées se précipitaient vers l'aval. Là où les pavés de la cale s'enfonçaient obliquement dans la rivière, je remarquai que s'était formé un important dépôt de mousses blanchâtres, dont l'abondance, en d'autres temps, m'aurait peut-être alarmé. Désormais, la propreté de la Loire m'était indifférente, du moment qu'il se trouvait encore un pont pour la franchir. Dans les interstices entre les pavés, outre de l'herbe, croissait une plante rampante que je n'avais jamais observée auparavant, dont la teinte rougeâtre évoquait celle des algues de marais salants, et dont les vésicules oblongues qu'elle portait, cette plante, approximativement de la taille d'un gros puceron, s'avéraient étonnamment résistantes, si l'on s'efforçait de les rompre, et, quand on y était parvenu, sécrétant avec parcimonie un jus clair que je fus surpris de trouver aussi complètement inodore. J'étais en train d'écarter de la berge, à l'aide d'une branche, le cadavre d'un ragondin empêtré dans les herbes du bord, et tellement ballonné par son séjour dans l'eau qu'il n'était plus guère reconnaissable qu'à sa longue queue annelée, lorsque j'ai entendu de nouveau une sonnerie de cor. Elle émanait cette fois de l'étage supérieur d'une tour carrée, coiffée d'un toit à quatre pentes, qui se détachait nettement, par sa hauteur et par son isolement, parmi les constructions les plus proches de la berge (d'une fenêtre mansardée s'ouvrant dans le toit à quatre pentes pointaient les deux tubes de ce qui me parut être un canon antiaérien, d'ailleurs maladroitement disposé, me sembla-t-il, tant parce que l'ouverture de la fenêtre ne lui ménageait qu'un angle de tir très étroit, que parce qu'il se voyait, quant à lui, comme le nez au milieu de la figure). Cette nouvelle sonnerie était beaucoup plus longue, et aussi beaucoup plus élaborée, que la précédente – celle que j'avais entendue pendant que l'on m'interrogeait dans la salle du restaurant –, et elle s'attira en réponse une sonnerie également longue et diversement modulée. De cet échange, je conclus qu'il s'agissait d'un code, qu'à défaut de talkies-walkies les miliciens utilisaient pour communiquer entre leurs différentes positions, plutôt que d'une manifestation fortuite d'ivrognerie comme je l'avais cru tout d'abord. Puis on vint me chercher pour me conduire de nouveau auprès du chef, celui qui se tenait assis dans la salle du restaurant derrière une table couverte de paperasses. Le chef paraissait de bonne humeur : de la fouille de la voiture, sans doute avait-il retiré l'impression que je disposais de ressources suffisantes pour contribuer généreusement à ses œuvres. « Vous pouvez vérifier, dit-il en me tendant les clefs de la Toyota, tout y est ! » En réponse, je déposai sur la table un billet de cent groschen – la nouvelle monnaie, celle qui était certifiée par la FINUF –, que tout d'abord il feignit de refuser. J'insistai : « Pour l'entretien du pont. » Le chef empocha le billet nonchalamment, ou avec une feinte nonchalance, comme si à tout moment il pouvait revenir sur ce premier mouvement et me rendre l'argent. Lorsque j'ai repris le volant, il tombait une pluie fine et la lumière était déjà presque crépusculaire. En franchissant le pont, je remarquai qu'au premier tiers environ de sa longueur, le côté droit de la chaussée avait été détruit sur une quinzaine de mètres, sans doute afin de contraindre les véhicules qui l'empruntaient à ne circuler qu'au pas et sur une seule file.

Tous les matins, généralement avant le lever du jour, Brennecke sortait de l'hôtel du Parc, à Salbris, où il avait établi son quartier général, pour courir à petites foulées, pendant environ trois quarts d'heure, autour du lac artificiel aménagé sur la rive droite de la Sauldre. Dans cette circonstance, il était invariablement vêtu d'un jogging à capuche d'une blancheur presque surnaturelle, et suivi à distance par deux gardes du corps habillés de couleurs plus discrètes. L'hôtel du Parc est l'un des premiers bâtiments que vous rencontrez, sur la gauche, si, venant d'Orléans, ou de la direction d'Orléans, vous entrez dans Salbris par la départementale 2020. Avec sa longue façade de pierre blanche et son toit mansardé, il donne tout d'abord une certaine impression de puissance, voire de majesté, atténuée, à l'occasion d'un examen plus attentif, par la découverte de son peu d'épaisseur. Mais ce défaut d'épaisseur est corrigé, au moins partiellement, par la largeur du parc qui le sépare de la route, un parc tel qu'on en voit dans les stations thermales, planté tant de feuillus que de résineux, bien que plutôt de ces derniers, parmi lesquels un cèdre du Liban d'une taille remarquable. Puis la route, avant de franchir la Sauldre, laisse sur sa droite le local du Salbris Pétanque Club, et sur sa gauche le lac artificiel, entouré de verdure, autour duquel Brennecke court à petites foulées. Juste avant le pont, et du côté du lac, un monument discret commémore l'exécution par les Allemands, le 26 août 1944, d'un résistant du nom de Jean Cordin. La ville elle-même – pour autant que Salbris en soit une – s'étend pour l'essentiel sur la rive gauche de la Sauldre, de part et d'autre de la route départementale susmentionnée, qui sur cette partie de son cours emprunte successivement les noms d'avenue d'Orléans puis de boulevard de la République. Perpendiculairement à celui-ci, c'est la rue du Général-Giraud qu'il convient d'emprunter si l'on veut se rendre à la gare, desservie en temps de paix par des trains express régionaux à destination ou en provenance d'Orléans, de Bourges ou de Vierzon. À l'angle de la rue de l'Abbé-Gru et de l'avenue d'Orléans, le café Les Bruyères accueille dès avant l'aube, à l'heure où Brennecke fait son jogging, une clientèle composée principalement de bûcherons, turcs pour la plupart, et portugais pour le reste. En dépit de la coloration nationaliste – voire fascisante, du point de vue de ses détracteurs – du mouvement de Brennecke, le fait qu'il ait établi à Salbris son quartier général n'a pas eu d'incidence sur la composition ethnique de ce prolétariat forestier. Il semble même que certains des bûcherons, aguerris par la fréquentation des sous-bois et le maniement de la tronçonneuse, aient rejoint sa milice de plus ou moins bon gré. Il semble aussi que dès le début des événements, l'Armurerie du Chasseur solognot, à l'angle de la rue du Marché, ait été mise à sac, si peu propice à un usage militaire que fût le matériel dont elle disposait. Quant à la forêt, elle est si présente à Salbris qu'on l'aperçoit déjà depuis les locaux de Pôle-Emploi, en face de l'hôtel de ville, c'est-à-dire bien avant d'atteindre le Carrefour Market, ou le bâtiment également vaste, mais sensiblement plus hideux, qui abrite l'entreprise Les Belles Portes de France, meubles Aubrun. Plus loin, les locaux de l'entreprise Painsol, spécialisée dans la fabrication de pain d'épices, étaient désaffectés depuis longtemps, et le revêtement cimenté du parking déjà fissuré par la croissance d'une végétation de terrain vague, lorsque Brennecke a réquisitionné l'ensemble pour y stationner ce qu'il désigne abusivement comme une « unité de soutien logistique », et qui se compose en fait de plusieurs véhicules blindés de transport de troupes, armés pour certains d'une mitrailleuse de 12,7 ou d'un canon de 20. Curieusement, ces véhicules ne lui ont pas été retirés, pas plus qu'ils n'ont été désarmés, à l'occasion des différentes inspections conduites par des officiers néerlandais de la FINUF. De temps à autre, il les fait manœuvrer autour du rond-point qui dans cette direction marque la limite de la ville, et au-delà duquel la départementale 2020 file droit vers Vierzon, sa chaussée surélevée bordée des deux côtés par un large talus doublé d'un fossé inondé, comme pour tenir à distance la forêt qui sans cela ne tarderait pas à l'engloutir.

« Vous avez rendez-vous avec le colonel ? » m'a demandé le type, vêtu d'un treillis de camouflage, qui se tenait assis derrière une petite table dans l'entrée de l'hôtel (celle-ci desservait également la salle à manger, où se voyaient au mur des bois de cerfs, et dans le fond une cheminée où rougeoyaient des bûches).

« Je ne sais pas, répondis-je, j'ai rendez-vous avec Brennecke. La dernière fois que je l'ai rencontré, il n'était pas colonel. »

Décontenancé par cette insolence, le factionnaire se taisait, et s'apprêtait peut-être à me jeter dehors, lorsque Brennecke, encore vêtu de son survêtement blanc immaculé – on était le matin, le jour venait à peine de se lever –, est apparu dans l'encadrement de la porte qui donnait accès à son bureau. Brennecke me fit signe d'entrer. Je remarquai que ses dents – ses incisives, en particulier, qu'il avait assez longues, ce qui lui conférait, l'âge venant, une certaine ressemblance avec Fernandel, bien qu'il fût malgré tout plus beau que ce dernier –, je remarquai que ses dents avaient jauni, quelle que soit la raison pour laquelle ce détail retint mon attention, plutôt que les poches qu'il avait sous les yeux, ou les marques de couperose dont s'ornaient désormais les ailes de son nez. « Tu as vieilli », lui fis-je observer. « Nous avons tous vieilli », répondit Brennecke, tout en me désignant un siège, et avant de se laisser tomber lui-même dans l'espèce de fauteuil orthopédique qui trônait derrière son bureau. Je craignis qu'il ne posât ses pieds sur celui-ci, car il avait esquissé un mouvement dans ce sens, mais il se retint, finalement. Le silence s'établit entre nous, pendant un temps qui ne dut pas excéder une minute, ce qui est déjà long, pour un silence, puis je lui tendis le sac en plastique contenant les médicaments que j'avais apportés de Paris, et, sans me remercier, sans même en vérifier le contenu, il le fit disparaître dans un tiroir du bureau. Au fond, me disais-je, la maladie de Brennecke était peut-être une invention, comme presque tout le reste de sa biographie. Mais dans la mesure où le mal dont il se plaignait était préjudiciable à l'image qu'il cultivait désormais – celle d'un homme d'ordre, attaché aux valeurs familiales –, je ne voyais pas quelle raison il aurait eu de s'en prévaloir, outre que l'homme qui m'avait confié ces médicaments, à Paris, m'avait recommandé avec insistance de ne les remettre qu'en mains propres, et avec la plus grande discrétion. Son parti – ou sa milice, dorénavant – ne m'inspirant pas plus de sympathie que les autres, parmi tous ceux qui s'étaient engagés dans la guerre civile, j'étais peu désireux de me lancer dans une discussion politique avec Brennecke. Il me suffisait de savoir que les miliciens de ce parti, les Unitaires, que le public désignait volontiers comme les Zuzus, s'étaient illustrés en commettant un nombre appréciable de crimes – mais pas plus, il est vrai, que leurs adversaires –, lors des combats qui les avaient opposés aux miliciens du Hezb, le parti islamiste dit « modéré », avant de conclure avec eux une alliance de circonstance qui avait restauré dans la région une paix fragile, maintenue avec plus ou moins de zèle par des effectifs disséminés de la FINUF. À ce propos, j'interrogeai Brennecke au sujet des véhicules blindés qu'il abritait dans les locaux désaffectés de l'usine de pain d'épices, et il me confirma que s'il les détenait, c'était en violation des engagements qu'il avait souscrits, tant auprès de la FINUF que de ses nouveaux alliés du Hezb. Et ne craignait-il pas, en les faisant parader à grand bruit, d'attirer l'attention sur cette violation des clauses du cessez-le-feu? « Tout le monde les viole, m'assura Brennecke, et tout le monde détient du matériel qu'il aurait dû placer sous le contrôle de la FINUF. Le tout est de ne pas dépasser certaines limites. Il est bon de montrer ses muscles, comme je le fais de temps à autre en promenant mes véhicules autour du rond-point, mais il ne faut pas le faire avec trop d'ostentation. D'ailleurs, personne ne sait si je possède ou non des munitions pour les armes dont ils sont équipés. » À ce point de la conversation, Brennecke manifesta soudain de l'intérêt pour les observations que j'avais pu faire à Châteauneuf lorsque j'y avais emprunté le pont sur la Loire. Dans quel état était ce pont? Et de quel matériel disposaient les miliciens qui le gardaient? Autant que je puisse en juger, opposeraient-ils une forte résistance s'ils étaient attaqués?

En me posant ces questions, auxquelles je m'efforçai de répondre avec une exactitude scrupuleuse – car je ne pouvais m'empêcher d'éprouver une certaine satisfaction, de pure vanité, à l'idée que j'avais par exemple localisé, et identifié, cet affût double antiaérien pointant d'une fenêtre mansardée sous les combles du bâtiment au toit à quatre pentes –, Brennecke devait bien se rendre compte, avant que j'en aie moi-même pris conscience, qu'il me compromettait, qu'il faisait de moi non seulement le complice de son projet, quel qu'il fût, mais aussi un vulgaire espion, délivrant sans se faire prier, en dehors de toute contrainte, des informations susceptibles d'entraîner la mort d'un nombre indéterminé de personnes : des personnes assez néfastes, sans doute, mais pas plus que Brennecke, et même vraisemblablement plutôt moins que ce dernier. Et qui de leur côté, si l'on exceptait ma contribution volontaire à leurs œuvres, ne m'avaient causé aucun tort.

« Et tu prétends toujours ne pas vouloir travailler pour nous ? » m'interrompit Brennecke. Mais à ce moment, alors que je commençais à me rendre compte de la gaffe que je venais de faire, et des conséquences qu'elle risquait d'entraîner pour les pauvres bougres qui avaient pris le contrôle du pont de Châteauneuf, la porte du bureau s'est ouverte, livrant passage à la secrétaire de Brennecke, dans laquelle, après tant d'années, j'ai reconnu la jeune fille qui nous accompagnait autrefois dans nos parties de pêche. Brennecke nous a présentés l'un à l'autre – elle sous le nom de Victoria, qui n'était pas celui qu'elle portait à l'époque, et moi comme « un ami surgi du passé » –, affectant d'oublier, à moins qu'effectivement il ne s'en souvînt pas, que nous

nous connaissions, elle et moi, depuis longtemps. De son côté, la pseudo-Victoria feignit de ne pas me reconnaître. Je me demandais pourquoi, encore que mon vieillissement, depuis notre dernière rencontre, constituât peut-être une explication suffisante. Si Victoria, ainsi qu'il convenait de l'appeler désormais, avait poussé la porte du bureau, c'était afin de signaler à Brennecke que deux représentantes d'une ONG américaine d'envergure internationale, dédiée à la protection des animaux domestiques dans des situations de conflit, demandaient à être reçues.

« On va rigoler ! » se promit Brennecke en découvrant ses dents jaunes. « Fais-les entrer. » Sitôt introduites, négligeant même de se présenter, les deux Américaines firent preuve d'une agressivité dont elles ne pouvaient ignorer qu'elle allait à l'encontre de leurs intérêts, ou des intérêts de ces innocentes créatures qu'elles s'étaient donné pour mission de protéger. Ainsi, d'entrée de jeu, demandèrent-elles à Brennecke s'il avait fait procéder à un recensement des animaux domestiques présents sur le territoire qu'il contrôlait, comme si une telle chose allait de soi, puis quelles mesures il avait prises afin de s'assurer que les animaux en question ne soient pas victimes d'exactions. Brennecke, que l'on accusait, non sans raison, de méfaits autrement plus graves, semblait jouir extrêmement de l'ineptie de ces questions, et, par anticipation, de l'extravagance des réponses qu'il se disposait à leur faire. « Sur le territoire que je contrôle, commença-t-il, son visage affichant une expression placide – démentie, ou nuancée, par un tressaillement nerveux de la joue droite –, les animaux domestiques sont au nombre exactement de 10 000, parmi lesquels 4 000 vaches, 3 000 porcs et à peu près autant d'ovins et de caprins. Jusqu'à présent, la volaille n'a pas fait l'objet d'un recensement, mais nous n'allons pas tarder à réparer cet oubli. »

« Et les animaux de compagnie ? » s'inquiétèrent les Américaines. Car c'était surtout de ces derniers que l'une au moins, la plus virulente, paraissait se soucier.

« Si vous continuez à m'emmerder, hurla Brennecke, soudain redressé derrière son bureau et désignant la porte, si vous ne foutez pas le camp immédiatement, je vous fais arrêter, je fais saisir votre véhicule et détruire tout votre matériel. » Après quoi, sur un ton un peu plus mesuré, il répéta les mêmes injonctions en anglais, sans cesser de désigner la porte. Dès qu'elles l'eurent franchie, Brennecke fut pris d'un accès de fou rire qui s'acheva dans une quinte de toux. Puis il ouvrit le tiroir dans lequel il avait renfermé le sac de médicaments, parut hésiter entre plusieurs, choisissant finalement quelques gélules, de couleur et de taille différentes, qu'il avala sans eau, cinq ou six, peut-être, d'affilée, la tête renversée en arrière, avec des mouvements de gorge comme en font les oiseaux quand ils boivent. Par la fenêtre du bureau, cependant, j'apercevais les deux égéries de la cause animale, visiblement furieuses, qui dans la cour de l'hôtel s'entretenaient avec une équipe de télévision américaine. Dans une autre partie de la cour, des journalistes d'une chaîne qatarie interviewaient l'officier de liaison du Hezb désormais attaché à l'état-major des Zuzus. Lorsqu'il eut fini de déglutir, Brennecke, s'intéressant lui aussi à ce qui se passait dans la cour, se lança dans une diatribe contre les journalistes américains en général, et ceux-ci en particulier, « toujours à l'affût, observa-t-il, de quelque imaginaire violation des droits de l'homme », soulignant au contraire « le professionnalisme des journalistes qataris », qui le ménageaient depuis sa récente alliance avec le Hezb. La veille, par exemple, ils avaient diffusé un reportage élogieux sur un abattoir halal dont il venait d'autoriser la réouverture, dans un village de la région où le Hezb comptait de nombreux partisans (au moins tous ceux que les Zuzus n'avaient pas eu le temps d'exterminer, ou de contraindre à l'exil, dans une phase antérieure du conflit). La réouverture de cet abattoir, poursuivit Brennecke, était un geste courageux, dans la mesure où elle heurtait ses propres convictions – car lui-même, insista-t-il, n'était pas indifférent à la souffrance animale, en dépit du peu d'égards qu'il venait de témoigner aux deux Américaines –, et celles de la majeure partie de sa clientèle.

Le reste de la journée se déroula sans nouvel incident. Dans la soirée, étant sorti de l'hôtel pour faire le tour du lac, j'observai sur les eaux de celui-ci, brunâtres et ridées par le vent, un oiseau que je pris tout d'abord pour un cygne, bien qu'il s'agît en fait d'une oie de Chine, mais dotée d'une voix si puissante que les sons qu'elle émettait, en nageant, s'entendaient de n'importe quel point de la berge, et même bien au-delà. Il me sembla que de tels cris, si peu naturels en cette saison, poussés par un oiseau sans doute assez gros, mais pas tant que ça, ne pouvaient qu'annoncer des événements funestes. (Il convient peut-être de noter qu'auparavant, dans la salle de restaurant décorée de bois de cerf, j'avais dîné, seul, d'un plat de gibier particulièrement indigeste.) C'est dans ces dispositions que je regagnai, pour y dormir, la chambre que l'on m'avait attribuée au second étage de l'hôtel : une chambre qui donnait sur le parc, plus précisément sur le cèdre dont j'ai déjà signalé qu'il était d'une taille remarquable, et dont les frondaisons, d'autre part, grinçaient dans l'obscurité, agitées par le vent qui s'était levé après le coucher du soleil.

Tout d'abord, on n'entend rien. Le vent est tombé, et tous les éléments constitutifs du paysage semblent pétrifiés par le gel, même si la température n'est pas descendue dans la nuit plus bas que deux ou trois degrés sous zéro. Puis on distingue le bruit de nombreux pieds, ou de nombreuses chaussures, foulant à pas pressés le tapis de feuilles mortes dont le sol est en grande partie recouvert. À l'écoute de ces pas, peut-être une oreille extrêmement fine, et remarquablement exercée, pourrait-elle reconnaître qu'ils concernent quatre paires de pieds, dont trois sont chaussées de modèles de sport, comme il convient pour une séance matinale de jogging, et la quatrième de chaussures de ville, inappropriées en pareil cas. Ces chaussures inappropriées, c'est le narrateur qui les porte, le narrateur qu'un des gardes du corps a tiré du sommeil, vers 5 heures du matin, pour l'inviter à rejoindre Brennecke, afin de partager avec lui un petit déjeuner consistant en une tasse de thé vert et quatre biscottes sans sel. Et maintenant, le narrateur, essoufflé, handicapé par ses chaussures de ville, trottine de mauvaise grâce aux côtés de Brennecke, vêtu quant à lui de son survêtement blanc et suivi à distance par deux gardes du corps. Au fur et à mesure que l'aube point, car elle point, se met en place un décor composé principalement d'eau dormante, sous l'espèce de cet étang que l'on a déjà mentionné, et secondairement d'arbres nus, la trame de leurs branchages, que la lumière naissante dessine à contre-jour, oblitérée çà et là de taches sombres, de taille et de densité inégales, trahissant la présence de boules de gui ou de nids de corbeau. À ce propos, justement, on observe qu'avec les progrès du jour, ce ne sont pas seulement des formes qui se révèlent mais aussi des sons qui s'éveillent, en particulier ceux, variés bien qu'avec une dominante de croassements, émanant des colonies de freux et de choucas qui se sont établies dans les arbres pour la nuit. Et ainsi de suite. Le pseudocygne, véritable oie de Chine, ne commence quant à lui à trompeter que lorsque le soleil est déjà tout proche de l'horizon, et que se dissipe la nappe de brouillard qui traînait auparavant sur l'étang. Alors, surgissant des herbes du bord, il s'élance en droite ligne jusqu'au milieu du plan d'eau et lance son cri odieux, à plusieurs reprises, jusqu'à ce que Brennecke, exaspéré, ou simplement désireux de se livrer devant le narrateur à une démonstration de force, interrompe sa course, se fasse prêter le Glock d'un de ses gardes du corps et tire à deux reprises sur l'animal, le manquant. Peut-être délibérément, d'ailleurs, dans la mesure où Brennecke fait profession d'aimer les animaux, et passe pour être en d'autres circonstances un tireur assez habile. Toujours est-il que ces deux coups de feu, claquant successivement dans un environnement auparavant paisible, entraînent une belle pagaille : envol soudain, et groupé, des colonies de freux et de choucas, auxquels il convient d'ajouter un certain nombre de pies, et, sur les eaux de l'étang ou dans la végétation des berges, de foulques et de colverts, surgissement d'hommes en armes, au nombre d'une dizaine, se portant au secours de leur chef. Brennecke, un peu embarrassé, calme le jeu : ayant rendu le Glock à son propriétaire, et auparavant récupéré les étuis des deux balles tirées, il renvoie les hommes accourus, fait une plaisanterie relative à son aversion bien connue pour l'oie de Chine, complimente le narrateur pour son sang-froid, reprend au petit trot sa course au bord du lac. Ayant parachevé le tour de celui-ci, il adopte un pas normal, de promeneur, pour franchir le pont sur la Sauldre. Laquelle est sombre, à cette heure du jour, et bouillonnant, en amont et en aval du pont, autour de petites îles couvertes d'une végétation incolore. Au café Les Bruyères, où il pénètre en compagnie du narrateur et de ses deux gardes du corps, l'irruption soudaine de Brennecke fait se lever les bûcherons, certains en civil, d'autres en uniforme, dont les plus zélés se raidissent dans une approximation de garde-à-vous. « Allons, allons ! dit Brennecke, je vous en prie ! Ne vous dérangez pas pour moi ! » Après quoi, ayant embrassé la patronne, et présenté le narrateur – désigné désormais comme « un ami qui nous vient de Paris » –, il commande une tournée générale du liquide chaud et vaguement parfumé qui tient lieu de café, abandonnant ostensiblement sur le comptoir la monnaie d'un billet de vingt groschen. Brennecke ne semble pas douter que le narrateur soit impressionné, favorablement, par son cirque. D'ailleurs il lui propose maintenant d'emprunter avec lui la rue du Général-Giraud dans la direction de la gare, jusqu'à cette grande place informe, en sorte de champ de foire, sur un côté de laquelle se dresse le monument aux morts de deux guerres mondiales et d'autant de coloniales. Brennecke attire l'attention du narrateur sur une plaque de marbre, disjointe du monument mais solidaire de celui-ci, honorant la mémoire de « 49 aviateurs des escadrons 44, 49, 106 et 219 de la RAF, morts pour notre liberté le 8 mai 1944 ». Il semble que le narrateur soit en mesure d'apprécier ce genre de choses ; qu'il sache par exemple que quarante-neuf aviateurs, cela représente les équipages au complet de sept bombardiers Lancaster, et qu'il puisse les imaginer, ces Lancaster, volant à moyenne altitude au-dessus de la forêt, dans le tonnerre de leurs vingt-huit moteurs, accompagnés de bombardiers légers – des Mosquitos – principalement affectés, dans ce contexte, au marquage des cibles, les uns et les autres traqués par les projecteurs de la Flak. « Et qu'allaient-ils bombarder, s'enquiert le narrateur, au milieu des étangs et des bois de la Sologne ? » « Des dépôts de munitions, l'éclaire Brennecke, parmi les plus importants dont l'armée française disposait au début de la guerre. » « Et aujourd'hui ? s'inquiète le narrateur, ils existent toujours, ces dépôts ? » « Et comment ! assure Brennecke. Non seulement ils existent, mais ils sont sous ma protection ! » « Donc tu n'as rien à craindre, au moins pour le moment ! » enchaîne-t-il, secoué d'un de ces fous rires dont on a vu plus haut qu'ils entraînaient parfois, chez lui, une quinte de toux, due peut-être à sa maladie, ou simplement à un usage immodéré du tabac.

Quant aux plans de Brennecke, dans la mesure où j'y comprenais quelque chose, ils consistaient désormais à s'assurer le contrôle du pont de Châteauneuf, afin de faciliter le déploiement de ses troupes vers le nord, et vers Paris, si la situation devenait propice à une entreprise de ce genre ; et auparavant, ou par la suite, à s'emparer de Saint-Amand-Montrond dans le but d'y transférer son quartier général, et d'y établir ce gouvernement provisoire, avec ou sans le soutien du Hezb, qu'il lui tardait de proclamer. Or le lendemain de cette séance matinale de jogging, Brennecke, sans m'avoir consulté au préalable, m'a désigné pour une « mission d'information » qui devait me conduire à Saint-Amand. En gros – et si confuses, peut-être à dessein, qu'aient été ses explications –, il s'agissait de contacter des gens, de diverses tendances, exerçant à Saint-Amand des responsabilités politico-militaires, afin de déterminer dans quelle mesure ils étaient corruptibles, et donc susceptibles de laisser Brennecke les évincer en échange d'un dédommagement, ou, pour les plus coriaces, quelle résistance ils paraissaient en mesure d'opposer, et quels moyens il convenait de mettre en œuvre pour en triompher. Manifestement, une telle mission excédait de beaucoup mes compétences, et j'avais donc tout lieu de penser que Brennecke ne m'en avait chargé que pour atteindre indirectement, par ricochet, un autre but, sans doute très éloigné de celui qu'il m'avait indiqué. En chemin vers Saint-Amand, Victoria, qui non seulement n'affectait plus de ne pas me reconnaître, mais avait rétabli avec moi, dès la nuit précédente, un niveau d'intimité comparable à celui que nous partagions autrefois, Victoria m'enjoignit de me méfier de Brennecke, qu'elle soupçonnait de vouloir me faire disparaître, afin de supprimer l'un des derniers témoins de ses frasques de jeunesse. À quoi je rétorquai que Brennecke était mon ami, malgré tout, même si je n'ignorais rien des procédés expéditifs dont il avait usé, depuis le début des événements, avec d'autres personnes qui pouvaient se prévaloir du même titre. Lorsqu'il m'avait confié cette mission, le matin même, en présence de Victoria dont il avait tenu à ce qu'elle m'accompagne – ce qui, entre parenthèses, tendait plutôt à infirmer les soupçons de celle-ci –, Brennecke avait insisté pour que nous nous rendions à Saint-Amand dans sa voiture – un véhicule de tourisme renforcé de plaques de blindage, et donc aussi peu maniable qu'aisément reconnaissable –, et sous la conduite de son chauffeur personnel. Au terme d'un échange un peu vif, j'avais obtenu d'utiliser ma propre voiture, plus discrète, même si j'avais échoué à me débarrasser du chauffeur, que Brennecke ne m'avait imposé, je le présume, que pour être sûr de me voir revenir. Or ce chauffeur, Slobo, était réputé pour son caractère irascible, et il en avait donné la mesure, alors que nous nous apprêtions à emprunter ma voiture, en assommant à coups de batte de base-ball (au point qu'il les aurait probablement tués si je n'étais pas intervenu) une équipe de journalistes de CNN que nous avions surpris en train de s'installer dans la Toyota, comme nous en approchions, avec l'intention manifeste, leur propre véhicule étant tombé en panne, de poursuivre à bord du mien le reportage qu'ils avaient entrepris dans la région. Même si je réprouvais la brutalité excessive de Slobo, je dois reconnaître que je n'avais pas été mécontent de voir rosser les journalistes de CNN, outre que cet incident m'avait permis de mettre la main sur une partie de leurs bagages, en particulier sur un jeu de cartes de presse, et d'accréditations, que je décidai de conserver, au cas où. Le voyage, selon un itinéraire compliqué, sur des routes secondaires, qui nous fit côtoyer successivement des bois, des prairies vallonnées, des vergers où les arbres fruitiers commençaient à fleurir, le voyage s'était déroulé sans encombre, bien que nous ayons dû en chemin passer à plusieurs reprises des checkpoints, en particulier lors du contournement de Bourges, puis dans le voisinage de la base aérienne d'Avord, sur laquelle se voyait un avion gros-porteur de la FINUF – un Antonov – avachi au milieu d'un champ nu, apparemment à la suite d'une sortie de piste. (Après le franchissement de l'Yèvre, sur la D 36, au moment où celle-ci s'apprêtait à traverser une étendue de lande dont l'ancien usage militaire était attesté par des panneaux de signalisation interdisant de s'arrêter ou de photographier, nous nous étions heurtés à un barrage tenu par des éléments de la FINUF exceptionnellement zélés, et, à cette occasion, j'avais pu mesurer l'efficacité des documents empruntés aux journalistes de CNN, même si, en les examinant, un officier de la force internationale s'était adressé à moi dans un anglais bien plus sophistiqué que le mien, me plongeant momentanément dans l'embarras.) Venant de Meillant, nous étions entrés dans Saint-Amand, en fin de matinée, par l'avenue de la République, une longue artère bordée de maisons bourgeoises. Dans le prolongement de celle-ci, la rue Nationale enjambe un cours d'eau minuscule, la Marmande, et c'est un peu plus loin que j'avais mon premier rendez-vous de la journée, dans cet hôtel de Sarzay dont le dessin est attribué à l'architecte Jules Hardouin-Mansart, mais qui est plus connu pour avoir abrité sous l'occupation le siège de la Milice.

Faute de savoir exactement ce que l'on attendait de moi, mon séjour à Saint-Amand ne s'était pas avéré très fructueux. Après ce rendez-vous à l'hôtel de Sarzay, j'avais retrouvé d'autres malfrats, se désignant eux-mêmes comme des « combattants », dans une boîte de nuit de la rue Cordier qui à cette heure de la journée, en l'absence de toute clientèle, sentait encore les pieds, la bière et le tabac froid, puis rencontré des officiers de la FINUF dans le bâtiment de la gendarmerie qu'ils occupaient rue Benjamin-Constant, à deux pas du canal de Berry. Devant ce bâtiment s'étendait une pelouse plantée de magnolias aux feuilles lustrées, comme passées à la cire, détail que je relevai bien qu'il fût probablement sans intérêt du point de vue de Brennecke. Au terme de notre entretien, l'officier qui commandait le détachement de la FINUF, désireux de montrer qu'il lui arrivait de sortir du bâtiment de la gendarmerie, et qu'il connaissait un peu la ville, m'avait emmené visiter sur l'avenue Jean-Jaurès une boutique de robes de mariée dont la vitrine éventrée laissait voir des mannequins jetés au sol, et pour la plupart dépouillés de leurs parures nuptiales, les combattants d'une milice quelconque, que l'officier ne voulut pas nommer, par souci de préserver sa neutralité, s'en étant affublés lors des affrontements qui avaient eu lieu quelques semaines auparavant. L'officier précisa que les miliciens qui s'étaient ainsi travestis avaient été peu après défaits par leurs adversaires, et que plusieurs d'entre eux avaient été pendus dans cet accoutrement. Afin de corroborer ce récit, il tint à me montrer, sur le parking du groupe hospitalier, la grue automotrice dont on s'était servi pour ces exécutions, à la flèche de laquelle s'effilochaient encore des lambeaux de tulle. Depuis l'emplacement du magasin pillé, on apercevait dans le prolongement de l'avenue Jean-Jaurès le bâtiment de la gare, au demeurant peu élevé, et lui-même endommagé par les combats. Pour l'atteindre, il fallait traverser le Cher : encore une de ces rivières, me disais-je, ou de ces cours d'eau, dont par un effet d'optique – parce que désormais leur franchissement présentait souvent des difficultés, parfois des dangers, quand il ne s'avérait pas tout simplement impossible –, il semblait que le nombre, la largeur et le débit s'étaient multipliés démesurément depuis le début des troubles. Dans l'enceinte de la gare, depuis l'extrémité du quai n° 2, j'observai qu'en contrebas des voies une colonie de freux particulièrement nombreuse, et particulièrement affairée, s'était établie dans un bouquet d'arbres grêles, serrés les uns contre les autres, le tronc de la plupart envahi jusqu'à mi-hauteur par le lierre. Sur le chemin du retour, alors que Slobo exprimait des doutes sur la possibilité de rejoindre Salbris avant la tombée de la nuit – faute de quoi nous risquions de passer celle-ci, dans le meilleur des cas, bloqués aux abords d'un checkpoint –, Victoria est devenue soudainement très loquace. La bouche collée à mon oreille – dans l'illusion qu'ainsi ce qu'elle dirait serait ignoré de Slobo –, elle me raconta comment seize ans auparavant, c'est-à-dire à l'époque de nos parties de pêche, ou plus précisément à l'époque, ultérieure, où je m'étais éloigné de Brennecke, elle avait eu de celui-ci, ou de moi-même – car elle prétendait qu'un doute persistait sur ce point –, un fils dont elle ne s'était jamais occupée, mais au sort duquel elle s'intéressait maintenant, et dont elle avait entendu dire qu'il combattait, dans le département des Bouches-du-Rhône, dans les rangs d'une milice d'extrême gauche acculée sur un territoire minuscule. Cependant qu'à la nuit tombante, en sécurité désormais, nous approchions de Salbris à travers la forêt de Vouzeron, elle me confia son intention d'aller le retrouver, ce fils, afin de le soustraire aux combats, pourvu qu'il fût encore en vie, ajoutant qu'elle comptait sur moi pour l'aider dans cette entreprise.

Le « VAB-liaisons » : c'est ainsi que Brennecke désignait le véhicule blindé à bord duquel nous avions pris place, lui pour diriger les opérations et moi pour le voir faire, en compagnie d'un pilote, d'un copilote, d'un servant pour la mitrailleuse et de plusieurs hommes affectés aux communications. La nuit était parfaitement sombre, parfaitement opaque, et peut-être notre déplacement serait-il passé inaperçu sans le bruit infernal que faisaient en roulant les VAB, et dans une moindre mesure les véhicules blindés plus légers qui les accompagnaient. Il était manifeste que Brennecke retirait de cette excursion nocturne un plaisir intense, et c'était également le cas de la plupart de ses hommes, d'autant que l'affaire semblait gagnée d'avance, et presque sans danger. Notre convoi, me précisa Brennecke, avait été précédé par un commando d'une dizaine d'hommes qui à cette heure-ci devaient avoir déjà franchi la Loire, en amont de Châteauneuf, et se tenir prêts à intervenir pour neutraliser les gardiens du pont, sitôt que l'« échelon blindé » serait en position sur la rive opposée. Pendant le trajet, qui à cause de la tension, malgré tout, et plus encore de l'inconfort du véhicule, me parut démesurément long, ponctué d'échanges radio qui grésillaient dans mon casque, et, conjugués aux vibrations de la machine, me donnaient l'impression que ma tête allait éclater, pendant le trajet je fus pris d'une soudaine envie de pisser, et je découvris à cette occasion que le seul dispositif prévu pour un cas de ce genre, dans le VAB, était une espèce d'entonnoir contraignant à se débraguetter devant tout le monde, et dont je me demandais comment il était compatible avec les exigences de la féminisation que l'armée régulière avait engagée, dans le passé, et autour de laquelle elle n'avait pas lésiné sur les efforts de communication. Du moins n'y avait-il que des hommes, parmi les équipages des blindés de Brennecke, et qui pour la plupart étaient assez jeunes, et assez entraînés, pour ne pas être confrontés à de telles difficultés pendant une opération dont la durée ne devait pas excéder quelques heures. Puis le VAB stoppa, le bruit des moteurs se tut, le silence se fit pendant plusieurs minutes, avant que n'éclate une série de brèves détonations se succédant à de courts intervalles, bientôt relayée par le crépitement régulier, assourdissant, de la mitrailleuse que nous avions au-dessus de la tête. Lorsque Brennecke m'autorisa à mettre pied à terre – ce que je fis en manquant de me fouler la cheville, car le cul du VAB dominait le sol de très haut, détail que j'avais noté en embarquant mais que j'avais dû oublier par la suite –, je vis sur l'autre rive la tour au toit tétraédrique qui brûlait comme une torche, et je me rappelai que c'était à moi – à mes observations scrupuleusement rapportées – qu'elle le devait. Je me demandais combien de malheureux avaient trouvé la mort dans l'incendie de cette tour, dont à la réflexion je n'étais plus aussi sûr qu'elle eût jamais abrité ce fameux affût double. Au niveau du restaurant du pont, les destructions allaient également bon train, des grenades explosaient à l'intérieur de la salle, d'où émanaient des flammes et d'abondantes fumées, et les quelques silhouettes humaines qui tentaient de s'en échapper ne persistaient pas longtemps dans la position verticale. Pauvres chasseurs, pauvres sonneurs de cor. (Plus tard, je devais apprendre, par des voies détournées, que dès le début de l'attaque les gardiens du pont avaient demandé à la FINUF un appui aérien qui leur avait été refusé, et qui de toute manière, leur eût-il été accordé, ne serait intervenu que trop tard.) Pendant ce temps, les sapeurs de Brennecke s'affairaient à boucher le trou du tablier afin d'autoriser le passage des VAB, et au bout d'un quart d'heure, car ils avaient travaillé avec ardeur, le convoi blindé franchissait triomphalement la Loire et venait stationner devant la carcasse fumante, environnée de gravats et d'étuis de munitions, de ce restaurant où nous avions autrefois l'habitude de déjeuner après nos parties de pêche. Quand les tirs eurent cessé, je pénétrai dans la salle du restaurant, malgré les protestations et les menaces d'un énergumène en treillis, le visage masqué par une cagoule noire, et, parmi les cadavres étendus sur le sol, presque toujours dans des positions incongrues, je reconnus bientôt l'homme qui avait dirigé la fouille de ma voiture et empoché pour ses œuvres mon billet de cent groschen. Je constatai que la mort l'avait surpris en train de se fourrer dans la bouche une poignée de Pailles d'or, provenant sans nul doute de mes propres réserves. Pour déplaisant qu'il fût, observai-je, ce larcin ne méritait pas la mort. Je vis aussi que son portefeuille gisait à côté de lui, vide – de toute façon, je n'avais pas l'intention de récupérer sur un cadavre mon billet de cent groschen –, et j'en conclus que la discipline laissait à désirer dans la milice de Brennecke. Quand le jour se leva, quelques habitants s'enhardirent à venir féliciter les miliciens victorieux, dont ils ignoraient peut-être encore l'appartenance, et je remarquai que le drapeau des Unitaires – un pavillon tricolore, avec dans le blanc un grand « U » doré surmonté d'une couronne de lauriers – flottait déjà au sommet de cette tour dont la destruction m'était en partie imputable. Quant à Brennecke, il arpentait la promenade pavée au bord de la Loire – celle d'où j'avais éloigné le ragondin mort –, les mains dans le dos, dans une attitude que je le soupçonne d'avoir empruntée à Napoléon tel qu'il apparaît sur des tableaux de genre.

Après plusieurs semaines d'affrontements, quelques mois auparavant, Clermont-Ferrand était resté, ou plutôt retourné, sous le contrôle de l'armée régulière, celle qui demeurait loyale au gouvernement établi désormais sur l'île de Noirmoutier. Toutefois les accrochages y étaient encore assez fréquents, qu'ils mettent aux prises l'armée régulière, mollement soutenue par la FINUF, et des éléments dissidents du Hezb qui avaient trouvé refuge dans les montagnes du parc naturel régional du Livradois-Forez, d'où ils descendaient en ville pour y commettre des attentats et se ravitailler, ou qu'ils opposent entre eux de petits groupes armés agissant pour leur propre compte.

Désormais fugitifs, Victoria et moi, nous sommes entrés dans Clermont-Ferrand par le sud, après de longs détours pour éviter les checkpoints que l'on nous avait signalés comme les moins fluides. Sur l'itinéraire que nous avons emprunté il n'y en avait aucun, excepté tout de même, au niveau du confluent de la rue Montalembert avec le boulevard Winston-Churchill, un barrage de fantaisie, tenu par les membres d'un club de motards dont certains étaient affublés de masques de Halloween. Le motard le plus cordial – même si tous l'étaient à des degrés divers – nous signala que si nous avions l'intention de passer la nuit en ville, voire d'y séjourner quelque temps, le plus simple était d'en référer à la coordination des associations humanitaires qui avait son siège dans le bâtiment, auparavant une bibliothèque, situé à l'angle de la rue Bardoux et du boulevard Lafayette. Il poussa la complaisance jusqu'à dessiner sur un bout de papier le chemin que nous devrions suivre pour nous y rendre. Il précisa que sur cet itinéraire, nous serions obligés d'emprunter la longue rampe, montée sur pilotis, qui dans le prolongement du boulevard Claude-Bernard franchit un important dénivelé entre le quartier Saint-Jacques, sur la hauteur, et le centre de Clermont-Ferrand. Or cette rampe était encore la cible, de loin en loin, de tirs de snipers, ces derniers installés dans les étages supérieurs d'une barre de logements longeant sur plusieurs centaines de mètres la rue Henry-Andraud. Mais bon, ajouta-t-il, c'était un risque à prendre, et d'ailleurs les snipers ne faisaient mouche que très rarement. Il suffisait de dévaler la rampe pied au plancher, la tête rentrée dans les épaules. Ah oui, pour finir, il se devait aussi de nous signaler que dans le centre-ville, il convenait d'éviter autant que possible les parages de la caserne située à mi-longueur du cours Sablon, du côté des numéros impairs de celui-ci, laquelle, abritant désormais l'état-major de l'armée régulière, était visée presque chaque jour, juste avant le coucher du soleil, par des tirs imprécis de roquettes ou de mortier. Autrement, conclut notre interlocuteur, la ville était correctement approvisionnée, et on y trouvait à peu près de tout si l'on était en mesure d'y mettre le prix.

Comme je conduisais plutôt mal, d'une manière générale, et que mon attention, depuis une heure ou deux, se relâchait, sous l'effet de brusques accès de somnolence, j'ai passé le volant à Victoria et nous nous sommes engagés dans le boulevard Winston-Churchill à une allure modérée, le warning clignotant afin de souligner l'innocence de nos intentions. Tout allait pour le mieux. Au niveau de la place Henri-Dunant, les rails du tramway, que nous avions suivis depuis notre départ du barrage, décrivaient une courbe, avant de s'aligner, perpendiculairement à leur direction précédente, sur l'axe du boulevard Claude-Bernard. C'est au niveau de cette intersection que pour la première fois nous avons remarqué, dans le lointain, le sommet pointu et enneigé d'une montagne qui devait être le Puy de Dôme, flanqué sur la droite d'un sommet d'une hauteur égale, mais plat, et dont l'enneigement, de ce fait, était plus homogène. Dans le virage, dont sa cabine articulée épousait la courbure, un tramway était immobilisé, vide, la plupart de ses vitres brisées, les portes ouvertes, et une chaussure dépareillée – un mocassin, m'a-t-il semblé – gisant devant l'une d'elles. Peut-être, si nous nous étions arrêtés, aurions-nous eu le temps de relever d'autres détails macabres, mais nous n'avions ni l'un ni l'autre envie de traîner dans ces parages. Devant nous s'ouvrait maintenant la perspective du boulevard Claude-Bernard, bordé des deux côtés de tours et de barres, de résidences universitaires, de stations-service ou de supermarchés. Bref, rien de bien réjouissant. Passé l'arrêt Saint-Jacques-Dolet du tramway, l'avenue amorçait sa longue descente vers la ville véritable, celle des monuments historiques et des commerces de proximité : à distance, et vu de haut, un chaos assez informe, au-dessus duquel pointaient les deux clochers jumeaux de la cathédrale, d'une noirceur de charbon, telle que des journalistes pressés, peu désireux d'aller y regarder de plus près, l'avaient décrite comme ravagée par un incendie lors des affrontements. Dans la descente, marquée à la moitié environ de sa longueur par une inflexion sur la droite destinée à placer la chaussée dans l'axe du cours Sablon, la voiture roulait trop vite, désormais, pour que nous puissions nous attarder aux détails du paysage. On observait toutefois que sur les sommets des puys, de petits nuages blancs, vaporeux, restaient attachés comme des fumerolles. Tandis qu'en bas de la rampe, sur la gauche, là où commençait le cours Sablon, un parc s'étendait où des arbres avaient été abattus, mais non les deux séquoias, d'une hauteur peu commune, dont on pouvait penser que jadis les jardiniers s'étaient enorgueillis.

Juste avant le coucher du soleil, une salve de roquettes s'est abattue sur le cours Sablon dans le voisinage de la caserne, tuant ou blessant trois ou quatre personnes que sans doute on avait oublié de prévenir. La répétition de ce genre d'incidents, à la longue, entraînait une nervosité compréhensible chez les réfugiés – issus pour la plupart des monts du Livradois-Forez, qu'ils avaient dû fuir pour se soustraire aux exactions des dissidents du Hezb – installés en grand nombre, peut-être un millier, peut-être plus, sous des tentes dressées par l'UNHCR (Haut Commissariat des Nations unies pour les réfugiés) dans le jardin Lecoq, à quelques centaines de mètres de la caserne visée régulièrement par les tirs. En plus de la précarité de leur situation, ces réfugiés devaient affronter l'hostilité croissante d'une partie de la population clermontoise, qui craignait que ne se soient infiltrés parmi eux des dissidents du Hezb décidés à commettre des attentats en ville, et qui leur reprochait d'autre part d'avoir saccagé le jardin Lecoq, ce qui était indéniable, et d'avoir abattu pour se chauffer, ou pour d'autres usages, près de la moitié de ses arbres : une accusation partiellement injuste, quant à elle, dans la mesure où beaucoup d'habitants de Clermont avaient contribué à ce défrichement, depuis que l'électricité ne fonctionnait plus que par intermittence et que le fuel était devenu introuvable. Quant aux associations humanitaires, accusées de pérenniser l'installation des réfugiés, et de privilégier ces derniers par rapport au reste de la population, dont le dénuement, parfois, était en effet à peine moindre, elles avaient épuisé depuis longtemps leur crédit dans l'opinion publique. Leurs véhicules à quatre roues motrices, équipés d'antennes télescopiques et d'autres coûteux accessoires, étaient de plus en plus souvent la cible d'actes de malveillance, dont le plus courant consistait à siphonner leurs réservoirs, et l'immeuble qui abritait le siège de la coordination, à l'angle du boulevard Lafayette et de la rue Bardoux, sur le côté du jardin Lecoq, était presque chaque nuit souillé d'inscriptions ordurières (inscriptions dont le caractère répétitif suggérait qu'elles étaient toujours de la même main, ce qui en limitait la portée). Peut-être ce harcèlement était-il à l'origine de la froideur que nous ont témoignée, à Victoria et à moi-même, les deux humanitaires – la coordinatrice et son assistante, une « logisticienne » – lorsque nous nous sommes présentés à elles, munis d'une recommandation des motards, pour demander où nous pourrions loger durant notre séjour à Clermont-Ferrand, dont je précisai d'entrée de jeu qu'il ne devrait pas excéder quelques jours. La coordinatrice et son assistante affectèrent tout d'abord de penser que nous étions venus offrir notre aide, puis, sur notre réponse négative – ou du moins ambiguë, Victoria s'étant empressée d'expliquer que nous aiderions volontiers à servir les repas, ou à distribuer les rations (elle ne savait pas trop comment il convenait de désigner cette opération) aussi longtemps que nous serions en ville –, elles nous rétorquèrent sèchement qu'elles ne s'occupaient pas de l'office du tourisme. Évidemment, sur ce point, on ne pouvait leur donner tort. Encore était-ce une chance qu'elles n'aient pas été averties des crimes auxquels nous avions été associés (surtout Victoria), ou desquels nous avions été témoins, sans quoi elles nous auraient peut-être déférés devant la Cour pénale internationale de La Haye. Après avoir joui quelque temps de notre malaise, elles nous ont indiqué que le soir même, et pourvu que nous nous engagions à déguerpir dès le lendemain matin, nous pourrions dormir dans le bâtiment situé de l'autre côté de la rue Bardoux, où des réfugiés clermontois, dont les habitations avaient été détruites ou endommagées lors des combats, campaient parmi les vitrines d'un musée d'histoire naturelle. L'atmosphère y était assez détendue, comme nous pûmes le constater en nous y installant pour la nuit, car tous s'imaginaient qu'ils pourraient réintégrer bientôt leur domicile habituel. Dans la crainte d'un accueil hostile, ou mitigé (car je soupçonnais les humanitaires de les avoir prévenus contre nous), j'avais tout d'abord envisagé de m'abriter derrière mon identité usurpée de journaliste américain, mais je pus d'autant moins me résoudre à abuser de la confiance de nos hôtes – et à les laisser me faire le récit de leurs malheurs dans l'illusion qu'il paraîtrait bientôt à la une du *New York Times* – qu'ils nous avaient acceptés sans trop de réticences, et s'étaient même poussés pour faire un peu de place à nos sacs de couchage, entre deux vitrines dont la première – « la forêt » – contenait principalement des sangliers, et la seconde – « la montagne » – un mouflon de Corse. Dans la soirée, sans doute pour célébrer l'anniversaire de l'un d'entre eux, ou quelque chose de ce genre, les humanitaires ont fait dans l'immeuble d'en face un tel vacarme qu'il était impossible de trouver le sommeil. Vers 23 heures, nous sommes ressortis, Victoria et moi, en nous efforçant, dans l'obscurité, de ne pas briser une vitrine ou marcher sur l'un de nos hôtes. Depuis le boulevard Lafayette, en longeant la grille du jardin Lecoq, on n'entendait aucun bruit provenant du camp de réfugiés, au-dessus duquel, en revanche, dans les deux séquoias ayant échappé au défrichement, des choucas s'ébrouaient et craillaient par centaines. À l'angle du cours Sablon, nous avons hésité à prendre sur la droite, dans la direction d'où nous étions arrivés un peu plus tôt, et dans laquelle on voyait miroiter faiblement – « comme une baleine échouée », observa curieusement Victoria – la large chaussée de la rampe s'élevant vers le quartier Saint-Jacques, ou sur la gauche, dans la direction de la caserne abritant l'état-major de l'armée régulière. Finalement, nous avons opté pour cette dernière. Entre son intersection avec le boulevard Lafayette et la caserne, le cours Sablon était encore jonché de morceaux de ferraille, que personne, depuis le dernier bombardement, n'avait pris la peine de déblayer. Et un peu plus loin, au niveau du croisement avec l'avenue Carnot, un petit blindé de la FINUF, blanc comme un morceau de sucre, stationnait devant le siège de la Banque de France (en vain, d'ailleurs, car le ménage avait été fait dans celui-ci depuis longtemps). Au point où nous en étions, et comme nous présumions que la nouba des humanitaires pouvait durer encore longtemps, nous avons emprunté sur la droite l'avenue Carnot jusqu'à son débouché dans le boulevard Fleury. À l'angle de ces deux artères, du côté sud, le lycée Blaise-Pascal – dont les bâtiments, dans la partie qui donne sur l'avenue Carnot, m'avaient déjà semblé d'une compacité extraordinaire – dressait au-dessus du carrefour, et de l'esplanade qui le prolonge, une muraille principalement basaltique, percée sur sept niveaux d'étroites ouvertures : celles-ci tellement propices à l'emploi d'armes automatiques, dans une position d'où elles auraient tenu sous leur feu non seulement toute l'étendue de l'esplanade mais la plupart des accès à la gare centrale, que cette particularité n'avait pu échapper aux différents partis qui s'étaient affrontés pour le contrôle de ce secteur de la ville, ce qu'attestaient d'ailleurs les nombreux impacts de roquettes dont était étoilé l'angle du bâtiment, et la quantité de gravats, briques et basalte mêlés, qui gisaient à ses pieds.

Afin de désarmer, si possible, la méfiance que leur témoignent les humanitaires, Victoria et le narrateur participent à une distribution de vivres, dans le périmètre du jardin Lecoq, lorsque la première est prise à partie par un réfugié, originaire d'une région vidée de sa population par les Zuzus, qui a reconnu en elle une collaboratrice de Brennecke. L'altercation qui s'ensuit entraîne l'intervention d'une patrouille de l'armée régulière, puis l'interpellation de Victoria et du narrateur, et leur transfert pour interrogatoire à l'Institut français de mécanique avancée, dont les locaux, depuis la fin des combats, abritent une antenne du principal service de renseignement militaire. De cet Institut, situé sur le campus des Cézeaux, dans un quartier excentré de Clermont-Ferrand, on ne peut exclure que l'architecte qui l'a dessiné l'ait envisagé à l'époque comme un bâtiment « futuriste ». De la position qu'il occupe, on découvre un panorama étendu et composite, comprenant du rural et de l'urbain, le premier sous l'espèce principalement de collines peu élevées et diversement boisées, dans le lointain, et le second de ce mélange informe d'équipements, de zones d'activités, de centres commerciaux et de quartiers résidentiels, pavillonnaires ou non, qui dans la deuxième décennie du XXIe siècle s'étend immensément à la périphérie des villes grandes et moyennes. À l'intérieur du bâtiment futuriste, Victoria et le narrateur sont interrogés séparément : la première par une femme officier dont nous ne savons rien, de même que nous ignorons le contenu de la déposition que Victoria lui fait, et le second par un capitaine détaché du premier régiment de hussards-parachutistes. Après une prise de contact un peu rugueuse, une relation satisfaisante s'établit assez vite entre ce capitaine et le narrateur, au point que celui-ci ne fait aucune difficulté pour donner à son interlocuteur tous les renseignements qu'il souhaite obtenir au sujet de la prise de Châteauneuf-sur-Loire, du matériel et des effectifs déployés dans cette circonstance, etc., ou des projets ultérieurs de Brennecke, « dans la mesure, naturellement, précise le capitaine avec une nuance d'ironie, où il aurait eu l'imprudence de vous en faire part ». Emporté par son élan, et par son désir de complaire à ce séduisant capitaine, le narrateur va jusqu'à prêter à Brennecke des projets encore bien plus audacieux, ou délirants, que ceux dont il a été effectivement informé. Le capitaine ne prend des notes qu'avec parcimonie, soit qu'il ait une confiance illimitée dans les ressources de sa mémoire, ou que l'entretien soit enregistré, à moins qu'il ne se rende compte, plus que le narrateur ne l'imagine, de la part d'exagération, voire d'affabulation, que comporte son témoignage. L'interrogatoire touchant à sa fin, et le narrateur ayant exprimé son intention de reprendre la route vers le sud, le capitaine le met en garde contre la menace que les dissidents du Hezb – ceux qui ont trouvé refuge dans le parc naturel régional du Livradois-Forez – font peser sur la nationale 102, dans sa partie comprise entre l'autoroute A 75 et Le Puy-en-Velay, et l'invite tout particulièrement à éviter Brioude, dans les parages duquel plusieurs automobilistes auraient été enlevés récemment à des barrages.

« À propos, ajoute le capitaine, vous avez entendu parler de l'enlèvement de la Vierge parturiente ? » Puis, devant l'ignorance du narrateur, il lui raconte comment cette célèbre sculpture en bois du XIVe siècle, l'un des joyaux de la basilique Saint-Julien, elle-même le monument le plus illustre de Brioude, a été arrachée à ce sanctuaire, quelques semaines auparavant, par un petit groupe de dissidents du Hezb agissant à la faveur de la nuit. « Et maintenant, poursuit le capitaine, ils exigent la libération de plusieurs dizaines des leurs, dont quelques-uns – les plus dangereux – sont détenus ici même (d'un mouvement du menton, il désigne le sous-sol du bâtiment), en échange de la restitution de la Vierge. » « En représailles, reprend le capitaine, un groupe charismatique a détruit jusqu'aux fondations cet hôtel de Brioude où un militant islamiste avait été assigné à résidence, en 2012, et d'où il avait disparu l'année suivante. » Et comme le narrateur, semble-t-il, n'est pas moins ignorant de cette histoire que de celle qui précède, le capitaine lui raconte comment un militant islamiste de nationalité algérienne, impliqué dans un projet d'attentat contre la tour Eiffel, ayant purgé en France une peine de prison, et la Cour européenne des droits de l'homme l'ayant déclaré inexpulsable, s'était retrouvé assigné à résidence dans des hôtels modestes successivement à Millau, à Langeac, et finalement à Brioude. Dans cette dernière ville, il avait séjourné plusieurs mois, vivant des subsides de Pôle-Emploi, avant de disparaître, au volant d'un véhicule siglé que l'épouse de l'hôtelier utilisait pour son travail. Sur l'écran de son ordinateur, le capitaine fait apparaître une image de la chambre que le militant islamiste, avant sa fuite, occupait dans cet hôtel de Brioude, et qui par la suite, explique-t-il, surtout depuis le début des événements, était devenue pour certains de ses coreligionnaires un lieu de pèlerinage. On y reconnaît un lit à deux places, dont le chevet est revêtu d'un tissu imprimé à motifs floraux, un radiateur à roulettes, un téléviseur disposé en hauteur et alimenté en électricité par un fil raccordé à une prise multiple, une gravure ancienne – ou une reproduction d'une telle gravure – dont le format de l'image ne permet pas de distinguer ce qu'elle représente, mais dont le narrateur présume qu'il s'agit du village perché de Saint-Ilpize, dominant le cours de l'Allier sur lequel on voit flotter des radeaux de bois.

« Joli, non ? » commente le capitaine.

« En effet », répond le narrateur. Puis, tandis que le capitaine, décidément un hôte irréprochable, raccompagne le narrateur jusque sur le parking de l'Institut de mécanique, où Victoria se tient déjà, le premier sifflote un petit air dans lequel le second, étonné, croit reconnaître *La Varsovienne*, un classique du répertoire révolutionnaire. « *La Varsovienne*? répond le capitaine à la question du narrateur, jamais entendu parler. Il s'agit du chant de marche de mon régiment, *Bercheny Cavalerie.* »

Mais le capitaine est pressé, désormais – un autre interrogatoire l'attend, peut-être moins facile que le précédent –, et il n'a pas le temps d'aider le narrateur à comprendre pourquoi, ou comment, la même musique a pu servir d'emballage à des contenus idéologiques aussi différents.

Que Langeac, dans le contexte d'une guerre civile, fût promise à la destruction, tôt ou tard, c'est ce qui ressortait indiscutablement des observations que nous y avions faites, Victoria et moi-même, à l'occasion d'un bref séjour au sortir de Clermont-Ferrand. On m'objectera que Langeac était toujours intacte, à cette époque, et qu'elle l'est peut-être encore aujourd'hui : mais cela ne change rien, ou pas grand-chose, à la pertinence de mes conjectures, tant il est vrai qu'une ville promise à la destruction peut différer longtemps l'accomplissement de son destin. Cette idée – l'idée de la destruction inéluctable de Langeac –, elle nous vint tout d'abord cependant qu'au lever du jour nous considérions la ville depuis le sommet d'une éminence, culminant à 584 mètres d'altitude, couronnant un réservoir d'eau potable et située en bordure de la D 590 peu avant que celle-ci ne franchisse par en dessous la voie du chemin de fer Clermont-Nîmes. Passé le réservoir, accessible aux véhicules de service par un chemin de terre, la pente s'accentuait fortement, sans que l'on pût distinguer un sentier plus praticable qu'un autre au sein d'une végétation n'offrant que peu de prises, composée principalement d'herbe haute, rendue glissante par l'eau dont elle était gorgée, et de touffes de genêts. Quant au sommet, que d'en bas l'on imaginait pointu, il s'était avéré, lorsque nous l'avions atteint, présenter le relief caractéristique d'un plateau, peu étendu sans doute, mais tout de même assez pour que l'on y eût érigé une réplique du Calvaire, sous la forme de trois croix dont l'une, au centre, dépassait en hauteur les deux autres, et dont aucune ne supportait de sculpture figurant un corps supplicié, pas plus celui du Christ que ceux des deux larrons. Au pied de ce Calvaire on avait disposé une table d'orientation, celle-ci à peu près inutile (si l'on excepte la toponymie), tant le plan de la ville et de ses abords, depuis cette hauteur, était aussi lisible que sur la carte la plus détaillée. (C'était même de cette circonstance – l'extraordinaire lisibilité de la ville, vue depuis le sommet de ce qui devait s'appeler le mont Saint-Roch – que j'avais retiré, pour la première fois, en faisant part aussitôt à Victoria, qui m'avait approuvé, la conviction de sa destruction inéluctable.) De là-haut, sous la caresse d'un vent aigre, au lever du jour, et dans un silence ponctué de loin en loin par le piaulement des buses (plus rarement par les signaux sonores émis par d'autres oiseaux, tels que pies, freux, merles ou geais), on voyait comment la ville était presque entièrement contenue dans un périmètre délimité au nord et à l'ouest par la voie du chemin de fer Clermont-Nîmes, au sud et à l'est par le cours de l'Allier, l'un et l'autre formant dans leur intervalle une espèce de poche, divisée par la départementale 585 en deux parties de surface et de densité inégales, qui allait vers le sud en se rétrécissant, jusqu'au point où la rivière et la voie ferrée confinaient avant de s'écarter à nouveau. À l'ouest de la D 585, et à l'est de la voie ferrée, se trouvaient réunis, pour certains au pied même du mont Saint-Roch, un grand nombre des édifices les plus prestigieux de Langeac, tels l'hôtel de ville ou la collégiale Saint-Gall, ainsi que la plupart de ses habitations. Tandis qu'entre la départementale et la rivière s'étendait une zone moins bâtie, et donc moins peuplée, dans laquelle se côtoyaient un terrain de camping exceptionnellement étendu, et agréablement planté d'arbres, qui hors saison devait constituer un lieu de promenade, une zone d'activités (quelles que fussent ces dernières, qui sans doute se réduisaient à peu de chose), un hôtel composé de deux bâtiments perpendiculaires où les chambres étaient disposées sur deux niveaux le long de galeries couvertes (et donc assez conforme à ce qu'aux États-Unis on désignerait comme un motel), quelques hangars abritant des commerces, ou la station d'épuration des eaux. Au nord de la poche, et refermant celle-ci, la voie de chemin de fer franchissait sur un viaduc, successivement, la départementale 585 et l'Allier, avant de longer, invisible désormais du mont Saint-Roch, un plateau d'une altitude approximativement égale à celle du précédent, et sur lequel étaient déployés, imposants, suggérant quelque chose d'infiniment plus puissant que la ville elle-même, les bâtiments parallélépipédiques d'une usine apparemment gigantesque. De là où nous nous trouvions, avais-je fait remarquer à Victoria – laquelle commençait à se plaindre du froid, bien que la température se fût radoucie au fur et à mesure que la matinée avançait, et que l'on vît fondre presque à vue d'œil, sur les versants exposés au soleil, les plaques de neige qui émaillaient encore les collines dominant Langeac, et dont certaines, parmi les plus lointaines, devaient appartenir au parc naturel régional du Livradois-Forez –, de là où nous nous trouvions, il n'était pas nécessaire de sortir d'une école d'artillerie pour observer qu'avec des moyens limités – quelques mortiers, si possible, tout de même, de gros calibre –, à condition d'en faire un usage judicieux, on pouvait, dans un laps de temps n'excédant pas la demi-journée, couper la ville de tout lien avec l'extérieur, en commençant par détruire ou rendre inutilisables la gare – elle s'étendait presque à nos pieds – ainsi que le pont ferroviaire et les deux ponts routiers sur l'Allier, et interrompre la plupart de ses fonctions vitales (d'autant plus que nous étions assis, en quelque sorte, sur ses réserves d'eau potable). Le seul hic, comme ce tour d'horizon venait de me le faire découvrir, c'était qu'il existât au-dessus de Langeac, sous l'espèce de cette usine totalement disproportionnée avec le reste de la ville, une position non seulement aussi propice que la nôtre au déploiement d'une artillerie très mobile, mais probablement beaucoup plus, dans la mesure où il paraissait aisé de la fortifier, cette position, au moins sommairement, et d'y déplacer rapidement les mortiers, en toute discrétion, d'un atelier à l'autre, tandis que le sommet plat et nu du mont Saint-Roch n'offrait aucun abri, ni aucune possibilité d'en aménager rapidement, à l'exception peut-être d'une tranchée, et encore la terre semblait-elle trop dure, et formant au-dessus de la roche une couche trop mince, pour se prêter facilement à un tel usage.

Vers le milieu de la matinée, alors que la neige continuait à fondre sur les collines les plus favorablement exposées, et que Victoria se plaignait de plus en plus fréquemment d'avoir les pieds gelés, nous avons abandonné notre position pour rejoindre la rive gauche de l'Allier. Une promenade piétonnière y était aménagée le long de la rivière, au milieu de laquelle s'étendait sur plusieurs centaines de mètres une île plate et boisée. La rivière bruissait, le soleil réchauffait les blocs de pierre moussus soutenant la promenade, dont certains présentaient des formes assez arrondies pour que l'on pût envisager de s'asseoir dessus. Une mésange charbonnière lançait inlassablement les deux notes auxquelles se résume le chant de cette espèce – pas très gai, sans doute, mais caractéristique de la fin de l'hiver –, les cloches de la collégiale Saint-Gall sonnaient les heures et leurs divisions, et il émanait de tout ce qui précède une aura de douceur villageoise un peu mièvre, assez débilitante, dont je sentais qu'à la longue elle pourrait ébranler ma conviction, forgée sur les hauteurs, dans l'air sec et vivifiant du petit matin, relative à la destruction de Langeac. Au niveau du pont sur lequel la D 590 enjambait la rivière, plutôt que de poursuivre sur le chemin de terre qui longeait celle-ci en direction du terrain de camping, nous avons rejoint la D 585, celle qui divisait en deux parties inégales le territoire de la poche. Devant nous, la départementale filait droit, ou à peu près, entre des édifices médiocres et clairsemés abritant du commerce ou de l'artisanat, elle longeait cet hôtel dont j'ai noté plus haut qu'aux États-Unis on l'aurait désigné comme un motel, elle faisait le tour d'un rond-point, elle côtoyait encore des sortes de hangars contenant de petites entreprises, adonnées par exemple à la pose de carrelage ou à la location de matériel de levage, elle passait au-dessous de la voie du chemin de fer Clermont-Nîmes au moment où celle-ci, de son côté, s'apprêtait à franchir l'Allier, elle atteignait enfin la campagne, sur laquelle régnait en cette fin de matinée une odeur de lombric (c'était même à cela, principalement, que l'on reconnaissait qu'il s'agissait de la campagne). Environ cinq cents mètres au-delà du viaduc emprunté par la voie de chemin de fer, la route franchissait à son tour l'Allier sur le pont de Costet, avant de s'élever graduellement, dans la nature, jusqu'à une intersection d'où une voie secondaire menait en direction de la zone industrielle (au niveau de cette intersection, un portique de « self-lavage » invitait à nettoyer soi-même sa voiture). Peu à peu, une agréable odeur de copeaux de bois se substituait à l'odeur de lombric, issue d'énormes amoncellements de ces derniers (les copeaux) érigés sur le territoire des entreprises RBM et SOFOPAL, et dont le plus important l'était assez pour évoquer le sphinx de Guizeh, tant par sa forme que par son ampleur. De ces amas, désormais abandonnés à leur sort, le vent détachait par endroits de petits nuages de copeaux qui tourbillonnaient quelques instants dans l'espace avant de s'y disperser. Puis la route desservant la zone industrielle, pour la deuxième fois, passait sous une ligne à haute tension supportée par des pylônes métalliques, juste après avoir franchi par au-dessus la voie du chemin de fer Clermont-Nîmes. Au niveau de ce franchissement, la route présentait un léger renflement qui, pendant un instant, dérobait au regard le parking de l'usine sur lequel elle débouchait pour finir. Quant à cette usine, celle dont les longs ateliers, vus depuis le sommet du mont Saint-Roch, nous avaient paru si impressionnants, et si propices au déploiement de quelques bouches à feu, nous constations maintenant, avec une surprise teintée de déception, que ce qu'ils abritaient, sous l'égide d'un château d'eau lui-même d'une hauteur et d'une majesté remarquables, n'était rien de plus qu'une entreprise de fabrication de matelas, et de mousse à haute résilience pour le remplissage de ceux-ci.

Le jour se levait – et l'eau bruissait, les merles s'égosillaient, on entendait même çà et là chanter un coq, comme dans des temps immémoriaux – lorsque nous avons quitté Langeac, empruntant au sortir de la ville une petite route qui, passé Chanteuges, se tenait au plus près de la rivière. Cet itinéraire, qui devait nous permettre de rejoindre Langogne en remontant le cours de l'Allier, on nous l'avait recommandé, traîtreusement ou non, comme particulièrement sûr. J'ai dit plus haut à quel point il convenait, dans un pays en guerre, et celle-ci fût-elle désignée comme « de faible intensité », de se défier des informations communiquées par des tiers, ne serait-ce que dans la mesure où l'imprévisibilité des événements, et la soudaineté de ceux-ci, font que ces informations, même communiquées de bonne foi, sont presque toujours dépassées au moment où elles vous parviennent. Mais qui aurait pu soupçonner la départementale 48 de receler une menace quelconque ? Au-delà de Saint-Arcons, le long de la rive droite de l'Allier, elle côtoyait des paysages plus agrestes les uns que les autres, et bucoliques, même si le climat hivernal qui prévalait encore à cette altitude leur conférait une certaine austérité. Mais une austérité elle-même pastorale, en quelque sorte, et donc de bon aloi. Enfin rien ne laissait présager le drame qui allait suivre. À la hauteur de Saint-Julien-des-Chazes, la route franchissait à nouveau l'Allier pour en suivre désormais la rive gauche, et dans la traversée du bourg, la chaussée s'étant effondrée sur quelques dizaines de mètres, nous avons dû emprunter un chemin de terre, au bord de la rivière, avant de rejoindre la départementale et de nous y engager dans la direction de Prades. Sur la rive opposée, au pied d'orgues basaltiques envahies par le lierre jusqu'au tiers environ de leur hauteur, on distinguait dans la végétation une chapelle isolée et peut-être romane, en tout cas fort ancienne. Autrement, c'étaient surtout des prairies inclinées – on imaginait que le bétail, quand il y en avait, devait peiner pour y conserver son équilibre –, couvertes d'herbe flétrie dont la coloration évoquait le pelage d'un vieux lion, émaillée d'affleurements rocheux et de touffes de genêts, ceux-ci encore assez éloignés de fleurir. Depuis un moment, Victoria, dont la nuit passée à Langeac sur un matelas neuf, choisi parmi les stocks de l'usine, avait restauré la bonne humeur, auparavant éprouvée par l'interrogatoire qu'elle avait dû subir à Clermont-Ferrand, et sur le contenu duquel elle avait souhaité ne pas s'appesantir, Victoria m'entretenait avec un optimisme excessif des projets qu'elle avait formés pour nous trois, dans l'hypothèse où nous arriverions à soustraire son fils – le nôtre ? – au piège dans lequel il s'était de lui-même enfermé. Personnellement, je doutais que nous le retrouvions jamais, ce fils, et plus encore, si nous y parvenions, qu'il consentît à nous suivre, abandonnant les siens et trahissant le prolétariat, puisque c'était apparemment sous l'invocation de cette chimère qu'il s'était engagé. « Nous pourrions aller vivre aux Baléares », me disait Victoria, toute à ses rêveries, lorsqu'en abordant un virage en côte, dont la courbe ascendante masquait ce qui se tenait au-delà et sur la droite, j'ai aperçu de l'autre côté de la route, celui qui surplombait le ravin, un véhicule utilitaire, un pick-up, barbouillé de peintures de camouflage, devant lequel, en travers de la chaussée, étaient déployés une dizaine d'hommes. Le pick-up était armé d'une mitrailleuse montée sur le plateau, et son pare-chocs avant décoré, comme l'étalage d'une boucherie pendant la saison de chasse, d'une hure de sanglier fraîchement coupée, dont le sang s'était égoutté pour former à l'aplomb du capot une flaque noirâtre. Comme on pouvait s'y attendre, les hommes déployés en travers de la route, et dont certains étaient armés, me firent signe de m'arrêter. Celui qui était apparemment leur chef avait le visage masqué par une cagoule, ce qui augurait mal de ses relations avec le public. Maintenant que la voiture était garée sur le bas-côté droit, je voyais qu'au-dessus de celui-ci, dominé par une combe boisée, tant de feuillus que de résineux, s'élevaient deux bâtiments d'allure également rébarbative : le premier, de là où je l'observais, présentait à la route deux faces d'un cube uniformément gris, de la couleur de la roche volcanique dont il était fait, percé sur trois niveaux d'ouvertures aux volets clos, et portant sur un côté l'inscription suivante : « Le Chalet de la Source vous accueille ». Le second bâtiment était situé en retrait de la route, sur un remblai, aménagé en terrasse, auquel on accédait par un escalier d'une dizaine de marches. En haut de cet escalier se voyaient deux lampadaires en fonte, dont l'urbanité jurait avec la rusticité de tout le reste, et sur la droite un arbre unique, d'une certaine ampleur, bien que dépourvu de feuillage en cette saison. Le bâtiment lui-même, qu'une enseigne composée en caractères plus ou moins gothiques désignait comme le Chalet de la Source à proprement parler, le bâtiment comportait quatre niveaux, dont un de combles. Les deux premiers étaient revêtus d'un enduit jaunâtre et granuleux, les deux derniers de planches imitant le chalet savoyard. Après m'avoir contraint à stopper, les gardiens du barrage se mirent en devoir de fouiller la voiture – sans grands risques pour nous, me disais-je, dans la mesure où je m'étais débarrassé à Salbris du pistolet et de ses chargeurs – et de vérifier nos identités selon des procédures mystérieuses. En fait, il apparut assez vite que c'était après Victoria qu'ils en avaient, au point que leur chef, celui dont le visage était dissimulé par une cagoule, l'invita bientôt à le suivre à l'intérieur du bâtiment le plus éloigné de la route. Je la vis disparaître en haut de l'escalier, entre les deux lampadaires en fonte, avec le sentiment que je n'étais pas près de la revoir. Car, dès ce moment, il me parut vraisemblable que cette embuscade n'avait été montée que pour s'emparer d'elle, que cet enlèvement fût l'œuvre de l'armée régulière – même si les exécutants, à en juger par les armes qu'ils portaient, n'appartenaient pas à celle-ci, ou s'efforçaient de dissimuler cette appartenance –, alertée par le capitaine de hussards et désireuse de redorer son blason en capturant une proche collaboratrice de Brennecke, ou bien de celui-ci, inquiet de voir Victoria lui échapper et répandre dans le monde la nouvelle de ses forfaits, ou encore de la FINUF, qui peut-être envisageait de l'utiliser comme monnaie d'échange dans des tractations avec son ancien employeur. Au bout d'une heure, elle n'avait toujours pas reparu, et ceux des miliciens qui me surveillaient manifestaient à mon égard une nervosité grandissante. Une fois déjà, ils avaient menacé de me pousser avec la voiture dans le ravin qui de l'autre côté de la route, dont ne le séparait qu'une assez fragile barrière de bois, dégringolait vers la voie du chemin de fer Clermont-Nîmes, et, plus bas, jusqu'à l'Allier (l'Allier dans lequel devait se jeter le ruisseau qui s'écoulait dans le fond du ravin, et dont la source, située un peu plus haut que la route, avait donné son nom au chalet). Puis ils se mirent à tambouriner sur le toit de la voiture et à donner des coups de pied dans les portières, faisant claquer la culasse de leurs armes comme s'ils se disposaient à me tirer dessus. Enfin leur chef revint, m'informa que Victoria était en état d'arrestation, s'empara de sa valise qui se trouvait encore dans le coffre et m'enjoignit de déguerpir au plus vite. J'élevai des protestations dont je savais qu'elles n'auraient aucun effet, lui opposant des lois qui n'avaient plus cours et des usages dont il devait se soucier moins encore, puis, lorsqu'il eut armé son pistolet pour le braquer sur moi à travers le pare-brise, je dus me résoudre à partir. Au-delà du chalet, la route, autant que je m'en souvienne, s'élevait sur une courte distance, jusqu'à un replat sur lequel, des deux côtés, étaient empilées des grumes d'un bois odorant – probablement du sapin –, avant de redescendre vers Prades, que dominait sur la rive droite de l'Allier une falaise basaltique finement côtelée et d'une hauteur effroyable. Du sein même du village s'élevait un piton rocheux, lui aussi d'origine volcanique, planté comme à dessein pour l'hébergement d'un stylite ou la précipitation des indésirables. Avant de pénétrer dans Prades, la route devait encore passer sous la voie du chemin de fer Clermont-Nîmes, et c'est après ce franchissement, et avant celui de la Seuge – un affluent de l'Allier, qui à quelque distance écumait sur un seuil caillouteux – que la masse énorme des orgues basaltiques dressées sur l'autre rive paraissait le plus écrasante. Tout d'abord, il me sembla que le village était désert, jusqu'à ce que, dans un passage étroit entre des maisons que l'on eût dit taillées dans le roc, je voie surgir de toutes parts des hommes – peut-être aussi des femmes, mais il me semble que non –, apparemment hors d'eux, ou du moins très remontés, qui se mirent à secouer furieusement ma voiture, laquelle ne pouvait avancer qu'au pas, probablement dans le dessein de m'en extraire et de me livrer à leur vindicte. Sitôt que la route s'élargit, j'accélérai pour tenter de me dégager, j'écrasai au passage le pied d'un de mes assaillants – ce dont je ne pus me retenir, en l'entendant hurler, d'éprouver une satisfaction très vive –, je fis sur le côté une embardée, projetant la voiture dans un nid-de-poule où je sentis que ses amortisseurs encaissaient un choc qui risquait de leur être fatal. En traversant l'Allier, mes poursuivants désormais largement distancés, j'observai que même à cette altitude les forsythias étaient en fleur, et que deux grands saules qui poussaient au bord de la rivière, en contrebas du pont, étaient déjà couverts de feuilles lancéolées, et d'un vert pâle pour ce qui était de leur couleur. Si j'avais eu le loisir de m'attarder, sans doute aurais-je également remarqué que des bergeronnettes voletaient parmi les rochers à fleur d'eau, et que des hirondelles d'une variété assez rare se disposaient à construire leur nid sur la falaise, celle que j'avais observée avec appréhension depuis la rive opposée, et dont la masse grisâtre, décidément écrasante, se dressait maintenant juste au-dessus de la route.

J'ai dit plus haut combien j'avais été frappé, lors de ce voyage, par l'abondance des rivières, mise en évidence par la difficulté, parfois, de les franchir. Inévitablement, il faut qu'à un moment ou à un autre les rivières se rejoignent, au moins pour la plupart, si bien que les confluents sont presque aussi nombreux que ces dernières. Ainsi le Langouyrou, non loin de la gare de Langogne, venait-il à se jeter dans l'Allier, en contrebas d'une étendue d'herbe rase, plantée irrégulièrement d'arbres nus, sur laquelle des courts de tennis, jadis, avaient été aménagés : cinq courts exactement, situés sur un terrain inégal et donc à des hauteurs légèrement différentes, et dont le revêtement usé, délavé par les pluies, localement envahi par la mousse, évoquait les vestiges d'une civilisation disparue. Il fallait que Langogne eût joui autrefois d'un grand prestige, me disais-je, pour avoir attiré tant de joueurs de tennis. Aujourd'hui déserté, excepté, quand les circonstances s'y prêtaient, par les promeneurs de chiens (et donc souillé de loin en loin par les déjections de ces derniers), le terrain, approximativement triangulaire, était borné de deux côtés par le cours des deux rivières confluentes, et du troisième par une route que dominaient le remblai d'une voie de chemin de fer et les deux châteaux d'eau de la gare de Langogne. En l'absence de circulation sur la route, pour ne rien dire de la voie ferrée (bien que la FINUF se vantât d'avoir rétabli l'activité ferroviaire entre Langogne et Villefort, mais il fallait patienter longtemps pour s'en apercevoir), on n'y entendait d'autre bruit que le murmure des eaux, ou celui du vent dans les sapins qui garnissaient, en hauteur, la rive opposée de l'Allier. Les deux types qui m'avaient donné rendez-vous dans ce lieu retiré se faisaient attendre et, lorsqu'ils survinrent, ce fut pour m'embarquer aussitôt dans un véhicule à quatre roues motrices. Puis nous avons roulé vers le réservoir de Naussac, un plan d'eau aussi laid que le sont en général les lacs de retenue. En bordure de celui-ci, à la sortie de la ville, quelques établissements de loisirs se succédaient le long d'une route, parmi lesquels celui, le Khéops, où nous avions rendez-vous avec d'autres lascars, que les deux premiers m'avaient présentés comme susceptibles de connaître les ravisseurs de Victoria, et de négocier avec eux les conditions de sa libération. Même en temps de paix, le Khéops ne devait pas être le genre d'établissement où, personnellement, je me serais rendu volontiers. On y accédait par une porte, précédée de quelques marches du haut desquelles on apercevait le lac, et encadrée par un trompe-l'œil imitant un portique égyptien. À l'intérieur, où le bruit courait que la FINUF avait installé un bordel, il régnait un désordre et une obscurité incompatibles avec cette rumeur. Après avoir tâtonné quelque temps en nous heurtant à des meubles, ou à de lourds objets dont il était difficile de distinguer les contours, nous avons débouché à l'air libre sur un patio qui avait été destiné aux fumeurs, du temps où la boîte était en activité, et que délimitait un mur de parpaings. Ce dernier revêtu d'une fresque où sur un fond bleu turquoise se détachaient la silhouette du sphinx de Guizeh, et celles des pyramides qui généralement vont avec. Les négociateurs arrivèrent quelques minutes après nous. Ils étaient au nombre de trois (si bien que nous étions six, désormais, réunis devant la fresque d'inspiration égyptienne), et l'un d'entre eux portait avec ostentation un pistolet de gros calibre glissé dans sa ceinture. Pour détendre l'atmosphère, et par forfanterie, je demandai au porteur de cette arme de me la montrer, ce qu'il fit, et je pus constater qu'il s'agissait d'un pistolet du même type – un 11.43, d'un modèle ancien mais toujours efficace s'il était convenablement entretenu – que celui dont je m'étais séparé à Salbris, par crainte qu'il ne m'attire plus d'ennuis qu'il ne me procurerait d'avantages. Au demeurant, ces trois négociateurs, dès l'abord, m'avaient fait une impression détestable. Ils me menèrent en bateau quelque temps, je feignis de prêter la plus grande attention à leurs propositions, afin de ne pas les contrarier, puis, bien décidé à ne jamais les revoir, et à quitter Langogne au plus vite, je leur dis qu'il me fallait un peu de temps pour réfléchir et je leur offris de les retrouver le lendemain à la même heure et dans le même lieu. Ils s'écartèrent un moment pour délibérer – et je ne doute pas que mon exécution immédiate fût l'une des issues qu'ils envisagèrent –, puis ils revinrent, s'étant mis d'accord entre eux, apparemment non sans mal, pour me dire qu'ils agréaient ma proposition. Ils me demandèrent où je logeais – ils me prenaient décidément pour une bille –, à tout hasard je répondis que j'avais pris une chambre à l'hôtel de la Poste – par chance, il se trouvait effectivement à Langogne un hôtel de ce nom, où séjournaient des humanitaires ou des journalistes de passage –, et peu après je me fis déposer à proximité de l'endroit où j'avais garé ma voiture. J'avais refait le plein à Clermont-Ferrand (avec de l'essence de mauvaise qualité achetée en fraude, et pour un prix excessif, à des militaires de la FINUF), et je disposais par conséquent d'assez de carburant pour atteindre le terme de mon voyage, soit le département des Bouches-du-Rhône, et le rivage de la Méditerranée, si je maintenais le programme – l'exfiltration du fils – arrêté précédemment avec Victoria. Cependant, depuis le choc encaissé par les amortisseurs dans la traversée de Prades, la voiture donnait des signes nombreux d'une panne imminente, et définitive dans la mesure où je n'avais pas la moindre notion de ce qu'il fallait faire pour la remettre en état. Tout d'abord, je tentai de sortir de Langogne par la route de Mende. Mais dans cette direction, de part et d'autre de l'avenue du Gévaudan, des évictions violentes étaient en cours, des familles étaient expulsées de chez elles et leurs maisons livrées au pillage, les trottoirs et la chaussée étaient encombrés de meubles, de matériel électroménager et d'effets personnels que des groupes de justiciers, quand ils ne les avaient pas saccagés au préalable, se disputaient entre eux, on bousculait des femmes en les traitant de « putains » ou de « fascistes », et au milieu de cette effervescence un homme jeune, vêtu d'un treillis de camouflage, poussait une vieillarde dans un siège roulant d'invalide, sans que l'on pût déterminer s'il s'efforçait de la soustraire à la colère de la foule ou s'il envisageait cet attelage comme une prise de guerre. Présumant que les auteurs de tels débordements préféraient agir sans témoins, et craignant qu'ils ne me prennent pour un journaliste, je parvins à embrayer la marche arrière, puis, en zigzaguant entre les groupes de pillards, ou de simples badauds, qui me débordaient de toutes parts, à reculer jusqu'à l'embranchement d'une route secondaire en direction de Villefort. Il s'avéra que cette route, une fois de plus, suivait de près le cours de l'Allier, celui-ci de plus en plus chétif au fur et à mesure que l'on approchait de sa source, et la voie du chemin de fer Clermont-Nîmes. Au sortir de l'agitation criminelle que je venais d'observer, j'étais heureux de me retrouver à la campagne. Quand j'estimai m'être assez éloigné de Langogne, je garai la voiture sur le bord de la route et je m'en écartai pour aller chier dans la neige, au-dessus de la rivière et à l'abri d'une touffe de genêts. Car à cette altitude la neige était encore abondante dans les creux, et par la suite, en approchant de Luc, c'est presque uniformément qu'elle recouvrirait le paysage.

En d'autres circonstances, sans doute aurais-je été affecté par l'état d'abandon dans lequel je trouvai l'hôtel des Pins. Celui-ci avait été jadis, et pendant longtemps, l'établissement le plus accueillant de La Bastide, et le seul à rester ouvert toute l'année, comme je l'avais éprouvé, à de longs intervalles, en y séjournant quelquefois pendant les mois d'hiver : une saison durant laquelle on n'y rencontrait guère que des ouvriers en déplacement, tandis que, dès le retour du printemps, le village, et avec lui l'hôtel, redevenait la plaque tournante, ou la gare de triage, de tout un écheveau de sentiers de randonnée, parmi lesquels celui que R.L. Stevenson, bien avant l'invention de ce genre de loisirs, avait parcouru en compagnie de l'ânesse Modestine (entreprise que rappelait une plaque apposée sur la façade de l'hôtel et dont il manquait la moitié, de telle sorte que seules étaient encore visibles la partie supérieure du visage de Stevenson, heureusement bien reconnaissable, et les deux oreilles de l'ânesse). À travers le vitrage de la porte d'entrée, on distinguait dans la pénombre le tableau des clefs, sur la gauche de ce qui tenait lieu de réception, au fond les premières marches de l'escalier menant aux chambres, et sur la droite la salle à manger, qui avait conservé ses tables et ses chaises, ou la plupart d'entre elles, mais d'où avait disparu le renard empaillé qui en avait été le plus bel ornement. La neige avait commencé à tomber peu après mon arrivée à La Bastide, et, dans l'heure qui suivit, les flocons devinrent si denses que la visibilité s'en trouvait limitée, parfois, à quelques mètres. Une fois de plus, et bien que ce phénomène risquât d'entraîner pour moi des conséquences fâcheuses, comme de rendre les routes impraticables, me contraignant à prolonger indéfiniment mon séjour, je ne pus m'empêcher d'être frappé par ce qu'il a toujours de miraculeux, au moins pour ceux qui n'y sont pas habitués, et qui tient surtout, me semble-t-il, plutôt qu'à sa blancheur, et à l'uniformité consécutive du paysage qu'elle façonne, au fait que la neige est la seule chose qui tombe absolument sans bruit, et dont la chute, même dans un endroit aussi parfaitement silencieux que l'était La Bastide au moment où je m'y étais arrêté, engendre un surcroît de silence, ou l'illusion d'un tel surcroît (d'où, peut-être, l'illusion concomitante d'une acuité accrue de tous les sens). Et bien que ç'ait été déjà une chose étrange que de me retrouver seul à La Bastide, puisque apparemment tous ses habitants l'avaient fuie, ou en avaient été évacués, ça l'était encore plus depuis que la neige s'était mise à tomber – ou plutôt c'est seulement à cette occasion, et à cause de ce redoublement du silence, que j'ai soudainement pris conscience que depuis mon arrivée dans le village je n'y avais pas rencontré âme qui vive, ni entendu le moindre bruit témoignant d'une quelconque présence humaine. À côté de moi, juste devant l'hôtel, la neige recouvrait peu à peu les épaules et le casque du poilu érigé sur l'habituel monument aux morts de la Grande Guerre, et dont l'attitude peu martiale – il se tenait debout, au repos, la crosse de son fusil à terre – reflétait sans doute les convictions pacifistes de l'artiste qui l'avait dessiné. Un peu plus bas, et donc plus près du cours de l'Allier – à la surface duquel il était plaisant de voir les flocons, lorsqu'ils l'atteignaient, disparaître comme par enchantement, tandis que les contours des berges s'estompaient sous une couche de neige de plus en plus épaisse –, sur une place dans le prolongement de laquelle se dressait une église sans caractère, la supérette Vival semblait avoir été évacuée si précipitamment que sa porte vitrée était restée ouverte, et qu'il traînait encore sur ses rayonnages quelques vivres – conserves, fruits pourris ou pain rassis – dont je n'eus aucun scrupule à m'emparer. Le soir tombant, et comme j'avais écarté l'hypothèse de dormir dans la voiture, je commençais à me demander où je pourrais passer la nuit sans risquer de mourir de froid. Je remontai dans la Toyota, je passai le pont sur l'Allier – observant qu'en contrebas de celui-ci, sur la rive droite, quelques volailles abandonnées, qui peut-être avaient décelé ma présence, caquetaient furieusement dans un poulailler –, je pris la route qui menait vers la gare, assez pentue pour que la neige l'eût déjà transformée en patinoire. Devant la gare, la route s'élargissait en une sorte de parking, sur lequel donnait d'autre part une maison haute et étroite, percée de nombreuses fenêtres aux volets clos, dont la porte ne résista pas longtemps à la pression, pourtant mesurée, que j'exerçai sur elle. L'intérieur de la maison était plongé dans l'obscurité, mais dans ce qui me parut être la pièce principale, des cendres rougeoyaient encore dans la cheminée, à côté de laquelle étaient empilées des bûches, et du petit bois, dont aussitôt je regarnis le foyer. Bientôt le feu crépita de nouveau, et à la lueur des flammes je distinguai dans un coin de la pièce quelques fauteuils dépareillés disposés autour d'un écran de télévision extraplat, dans un autre une longue table sur laquelle trônait une cocotte-minute, à moitié remplie de bœuf bourguignon un peu figé, certes, mais apparemment comestible – tout à fait, me disais-je, comme dans *Boucle d'or et les trois ours*, sauf qu'en l'occurrence le retour inopiné de mes hôtes semblait très improbable –, et dans un troisième une vitrine abritant une collection de soldats de plomb. Après avoir mangé le bœuf bourguignon, accompagné du pain rassis que je m'étais procuré chez Viva, et arrosé d'une bière en boîte de même origine, je me levai, allumai ma lampe de poche et m'approchai de la vitrine afin d'inventorier la collection de soldats de plomb. Elle comptait plus d'une centaine de figurines, toutes représentant des soldats de la Grande Armée, parmi lesquelles je choisis, pour la conserver, celle d'un officier de chasseurs de la garde impériale monté sur son cheval, coiffé d'un colback en peau d'ours et brandissant un sabre, tel celui qui a servi de modèle au célèbre tableau de Géricault. Dans la nuit, alors que je m'étais endormi devant la cheminée, j'ai été réveillé par les aboiements et les plaintes d'une bande de chiens rassemblés sur le parking de la gare. Pour avoir la paix, je leur ai jeté par la fenêtre les restes du bœuf bourguignon, mais comme il n'y en avait guère, cela ne fit que décupler leur fureur et leur inclination à se bouffer entre eux. Le lendemain matin, quand je voulus sortir de la maison pour me diriger vers la voiture, ils étaient encore là, grognant et montrant les dents, et je dus à contrecœur, pour les faire fuir, en tuer deux ou trois, à l'aide d'un fusil de chasse trouvé sur le manteau de la cheminée, son magasin garni de balles pour le sanglier, et que je devais abandonner par la suite, pour les mêmes raisons qui m'avaient conduit à me défaire de mon pistolet à Salbris.

Au lever du jour, après qu'il a tué deux ou trois chiens, la situation du narrateur reste préoccupante. En raison de leur enneigement, les routes autour de La Bastide sont impraticables : outre que celle menant à Villefort, qu'il envisageait d'emprunter, est obstruée à la sortie du village par une barricade de grumes, dont le pouvoir dissuasif, à l'usage, a dû se révéler illusoire. Mais voici que s'avance, venant de la direction de Langogne, un chasse-neige, escorté par un petit blindé de la FINUF, ce dernier peint en blanc, réglementairement, comme tous les véhicules de la force internationale – sauf que dans ce cas, au lieu de faire qu'il se voie comme le nez au milieu de la figure, cette blancheur devient un camouflage qui le rend indistinct de son environnement. Le chasse-neige et son véhicule d'escorte s'engageant dans la direction de Chasseradès – sans doute afin de maintenir ouverte la route de Mende, pour le passage des convois d'aide humanitaire ou pour d'autres usages –, le narrateur et sa voiture les suivent à distance. En ce qui concerne la voiture, elle est secouée de plus en plus souvent par des chocs sourds, conséquence probable de la violence faite à ses amortisseurs dans la traversée de Prades. Peu avant d'atteindre Chasseradès, apercevant sur la gauche une route apparemment libre de neige – celle-ci étant inégalement répartie –, le narrateur, au mépris de toute prudence, l'emprunte dans la direction de Mirandol et, au-delà, du Bleymard. Tout d'abord, c'est comme au sortir de Langeac une succession de prairies imbibées et jaunâtres, de touffes de genêts, de bouquets de sapins ou d'autres conifères. Ici on passe une rivière – le Chassezac, qui s'écoule vers la Méditerranée, signe que l'on vient de franchir la ligne de partage des eaux –, là se voient des maisons, regroupées en hameaux, ou, isolés, des hangars agricoles. Et il en va ainsi jusqu'à une altitude, disons, de 1 200 mètres. Plus haut, c'est-à-dire presque aussitôt passé le bourg de L'Estampe, sur le versant nord de la montagne du Goulet, la neige reprend possession de la route, elle fait ployer les branches tant des résineux que des caducs, elle ménage dans la lumière du matin, lorsque celle-ci n'est pas voilée par une nuée qui soudainement enveloppe tout le versant, d'extraordinaires effets auxquels le narrateur ne reste pas insensible. Cependant, la chaussée elle-même n'étant recouverte que d'une couche assez fine, et peu tenace, la voiture parvient à se hisser jusqu'à la ligne de crête, d'ailleurs imperceptible, puis, sur le versant orienté au sud, et libre de neige, à se laisser glisser jusqu'au Bleymard. Dans ce village, nombreux sont les habitants regroupés autour du petit bâtiment abritant le magasin 8 à Huit et un bureau de poste, dans l'attente de l'aide humanitaire acheminée par un convoi de véhicules à quatre roues motrices. « Quelle est la situation dans les autres villages que vous avez traversés ? » s'enquièrent les habitants auprès du narrateur. « La force des Nations unies s'est-elle déployée pour mettre un terme aux évictions violentes ? » Mais tout ce que le narrateur peut leur dire, quelle que soit la sympathie que leur anxiété lui inspire, c'est qu'il n'a pas rencontré quiconque lors de son bref séjour à La Bastide, et cette information n'est pas de nature à les rassurer. C'est aussi au Bleymard, sur un forsythia en fleur, que le narrateur aperçoit son premier papillon de la saison. Peut-être un morio, bien qu'il n'ait pas eu le temps d'en juger à coup sûr. Et il éprouve une soudaine et brève nostalgie de l'époque où il collectionnait les papillons, comme le propriétaire de son gîte à La Bastide les soldats de plomb. Au-delà du Bleymard, la neige est de nouveau abondante dans l'ascension du mont Lozère vers le col de Finiels, mais la chaussée a été dégagée et son revêtement fume, au soleil, comme si on venait de l'étendre. Sur le parking de la station de ski du mont Lozère – une horreur –, on voit le narrateur s'arrêter pour soulever en vain le capot de sa voiture, dont il sent la fin imminente, et distribuer des miettes de pain rassis à des volées de pinsons et d'autres petits passereaux. En approchant du col de Finiels – tout proche du sommet du même nom, haut de 1 699 mètres –, on découvre sur la gauche de la route, à perte de vue, des amas de montagnes bleutées, chaînon après chaînon, jusqu'aux Alpes quand le temps le permet. Le col lui-même est situé à une altitude de 1 541 mètres, et environné de sapins dont on se demande ce qu'ils font là, où l'on attendrait plutôt des prairies ou de la lande à genêts. Au moment où le narrateur atteint le col de Finiels, la température extérieure doit se situer aux alentours de zéro degré, les sapins sont couverts de neige, le ciel est d'un gris nacré, lumineux, avec ici et là de grandes trouées bleues qui tendent à s'élargir. D'autre part, sa voiture est à deux doigts de rendre l'âme, et c'est chose faite sitôt qu'il a passé le col : au point que c'est en roue libre qu'il rejoint le hameau de Prat Souteyran, au niveau duquel, même débrayée, la voiture refuse d'avancer. En dépit de la catastrophe que représente pour lui, dans de telles circonstances, la perte de son véhicule, le narrateur ne peut s'empêcher de remarquer que la route, dans la traversée de Prat Souteyran, est bordée de mini-lampadaires haussmanniens dont l'incongruité lui arrache un gloussement d'ironie. De là où il a laissé la voiture, qu'il convient désormais de désigner plutôt comme une épave, il perçoit une forte odeur de vache, bien qu'aucun de ces animaux ne soit visible à la ronde. D'ailleurs une publicité rustique, placardée sur un mur, n'annonce-t-elle pas une « spécialité de veaux du mont Lozère »? Et n'est-ce pas un meuglement déchirant, exprimant toute la détresse de l'abandon, que le narrateur vient d'entendre, s'élevant des bois nus qui couvrent les deux versants de la vallée? Mais il est trop préoccupé par son avenir immédiat pour se soucier durablement de la solitude du bétail.

Et puis de quel secours pourrait-il être à un veau, lui qui n'a pas été capable, depuis qu'il a pris la route, de prêter assistance à un seul de ses semblables ? Il lui revient en mémoire une fable japonaise (ou chinoise ?) dans laquelle un moine errant, entendant un enfant vagir dans les roseaux qui bordent un étang, cède d'abord à la tentation de lui porter secours, avant de se reprendre et de passer son chemin. Car s'il ne sait pas, le moine errant, ce qui est bon pour lui-même, comment pourrait-il savoir ce qui l'est pour l'enfant, et s'il ne lui convient pas de se noyer ? En attendant, le narrateur rassemble, de ses affaires, toutes celles qu'il estime indispensables à la poursuite de son voyage, et qui peuvent tenir dans un grand sac, d'une forme et d'un volume compatibles avec les nécessités de la marche. Tout cela, il le fait à l'abri d'un gros rocher qui saillit au bord de la route et perpendiculairement à celle-ci, dans un emplacement d'où un tireur isolé, observe-t-il, pourrait la tenir sous son feu, et en interdire l'accès, aussi longtemps qu'il resterait en vie, à tout assaillant se déplaçant à pied ou à bord d'un véhicule de tourisme. Son sac sur l'épaule, il s'engage à travers le champ de tir qu'il vient d'imaginer – d'imaginer avec une telle intensité qu'en s'éloignant il sent des fourmillements entre ses omoplates et dans sa nuque, et qu'il doit se raisonner pour ne pas se mettre à courir – et bientôt les dernières maisons du hameau sont hors de vue. C'est maintenant sous le couvert d'un bois qu'il s'avance, un bois dont les arbres présentent à distance une coloration violacée. Le sous-bois, quant à lui, est tapissé de feuilles jaune-orange, parsemé de rochers moussus d'un vert presque fluo, et tellement saturé d'eau que de partout ça ruisselle et ça glougloute, enfin ça bruit, ça luit, ça fait briller au passage les cailloux, étinceler les mousses, ça se réunit pour former des torrents dont l'un, à mi-distance environ du Pont-de-Montvert, franchit la route par en dessous, tout en cascades, pressé d'aller se jeter dans le Rieumalet qui lui-même se rue vers le Tarn. Dans le sous-bois autrement silencieux, il voit, depuis la route sur laquelle il progresse, deux chevreuils alertés qui l'observent, oreilles dressées, avant de lui présenter leur cul blanc et de disparaître en trois bonds.

Les délégués du CICR (Comité international de la Croix-Rouge), en particulier ceux qui enquêtent sur le sort des prisonniers de guerre, sont tenus à des règles très strictes de confidentialité, faute de quoi leur travail auprès des belligérants serait rendu plus difficile encore. Il m'est donc impossible de rapporter ici dans quelles conditions Anna Schwartz – une déléguée du CICR qui enquêtait au Pont-de-Montvert sur les « prisons privées » (à domicile) dont on savait qu'elles s'étaient multipliées dans toute la région –, m'ayant croisé par hasard alors que j'arrivais à pied du col de Finiels, m'a pris sous sa protection, puis s'est occupée de mon acheminement jusque dans l'arrière-pays marseillais. Il m'est d'autant plus impossible de les rapporter, ces conditions, que pour assurer mon acheminement, à bord de véhicules siglés du CICR, elle dut enfreindre plusieurs des règles qui s'imposent au personnel de cette organisation. Et la manière dont je me suis acquitté de ma dette vis-à-vis d'Anna Schwartz, on comprendra que je doive également la passer sous silence.

Cette parenthèse d'une ou deux semaines refermée, je me retrouvai à pied, de nouveau, mais sain et sauf, hôte non invité d'une villa située sur les hauteurs de Marignane. De la position qu'occupait cette villa, prolongée au sud par une terrasse plantée de lauriers roses, elle-même dominant de plusieurs mètres un jardin d'autant plus foisonnant qu'il était depuis longtemps laissé à l'abandon, on découvrait un territoire immense incluant l'aéroport de Marseille-Provence, la plus grande partie de l'étang de Berre, deux ou trois des agglomérations riveraines de celui-ci, le massif de l'Estaque, la plaine où s'écoulait autrefois le flot de véhicules drainé par l'autoroute A 55, dite « du littoral », et dont l'ancienne vocation agricole était battue en brèche par l'habituelle prolifération pavillonnaire. Là où elle s'était maintenue, des taches plus ou moins étendues, jaunes ou blanches, signalaient des champs de colza ou des plantations d'arbres fruitiers. Épars, des bouquets de chênes verts, de pins maritimes ou de cyprès faisaient des taches plus sombres. Que le printemps fût désormais bien avancé, c'est ce dont témoignait, outre l'exubérance de la végétation, l'invasion de la partie cimentée de la terrasse par les iules : des insectes assez répugnants, bien que tout à fait inoffensifs, pourvus de pattes innombrables, se déplaçant presque toujours en ligne de file, comme des cuirassés lors de la bataille du Jutland, et sécrétant un liquide malodorant si l'on essayait de s'en saisir. À défaut d'autres occupations, c'en était une que d'observer ces mouvements des iules sur les dalles de ciment. Et c'en était une autre, plus astreignante, mais également plus à même d'augmenter mes chances de survie, que de contempler le paysage que l'on découvrait de la terrasse, en m'efforçant, à partir des informations dont je disposais par ailleurs, de l'envisager sous un angle géopolitique, ou plutôt géostratégique. Car le territoire compris entre les quartiers nord de Marseille, l'étang de Berre et le massif de l'Estaque était à ce moment-là l'un des plus disputés de tout le pays, l'un de ceux qui voyaient s'agiter et se combattre le plus de factions armées, tour à tour alliées ou ennemies, au gré de retournements tellement imprévisibles que même les spécialistes attitrés des chaînes de télévision, rarement à court d'affirmations péremptoires, en restaient quelquefois bouche bée. En gros, tandis que des éléments de la FINUF occupaient l'aéroport de Marseille-Provence et l'usine Eurocopter qui le jouxte, les communes limitrophes de l'étang de Berre, ou de la rive orientale de celui-ci, étaient plus ou moins contrôlées par des milices d'extrême droite, souvent divisées entre elles, qui dès le début du conflit s'étaient signalées en opérant un tri dans la population d'origine maghrébine, sélectionnant les quelques éléments considérés comme loyaux – c'est-à-dire tous ceux qui acceptaient de s'acquitter dans leurs rangs d'un service armé – et expulsant sans ménagement tous les autres. À l'opposé, une coalition de mouvements d'extrême gauche, autour de ce bastion du Parti communiste que constituait traditionnellement Port-de-Bouc, contrôlait un territoire – la poche dans laquelle Victoria imaginait que son fils, ou le nôtre, s'était délibérément enfermé – s'étendant, dans ses périodes d'extension maximale, à toute la zone située au sud de la nationale 568, sur la rive nord du chenal de Caronte, et sur la rive adverse aux installations portuaires de Lavera, aux raffineries et aux usines pétrochimiques attenantes, jusqu'à la centrale de Martigues-Ponteau, sur le littoral, qui assurait l'alimentation de la poche en électricité. Au moins quand elle n'était pas soumise à des bombardements de roquettes ou d'obus de mortier tirés depuis les hauteurs de l'Estaque : car à peu près dans le temps où cette coalition de mouvements d'extrême gauche assurait son emprise sur la poche, un groupuscule islamiste, composé notamment de djihadistes accourus d'un peu partout dans le monde et connu sous le nom d'AQBRI (Al Qaïda dans les Bouches-du-Rhône islamiques), s'était emparé à Marseille de tout un pan du 15e arrondissement, allant de l'hôpital Nord – qu'il avait transformé en une forteresse réputée imprenable – au centre commercial Grand Littoral, et à partir de ce foyer des métastases avaient essaimé, peu à peu, dont l'une des plus virulentes, mais aussi des plus isolées, occupait à Port-de-Bouc les quartiers de La Grand-Colle et des Amarantes. En ce début du printemps, c'était dans ce secteur que se disputaient le plus souvent des combats opposant sur un front très étroit, en zone urbaine, de part et d'autre de la N 568, les milices d'extrême gauche aux djihadistes d'AQBRI. Or pour ravitailler en armes et en munitions ces derniers, et pour acheminer des renforts sur ce front, où les pertes étaient importantes, il fallait bien qu'AQBRI, à partir de ses positions marseillaises, infiltre des combattants à travers le massif de l'Estaque ou la plaine qu'il domine, ce qui, de l'avis général, ne pouvait se faire qu'en raison de la neutralité bienveillante que lui témoignaient les milices d'extrême droite dont le contrôle s'exerçait sur une partie au moins de ces voies de passage.

Ces informations, on pense bien que je ne les avais pas retirées de mes observations du paysage, si propice que fût de ce point de vue la terrasse de la villa. Mais lorsque je m'y étais installé, avec le concours d'Anna Schwartz, elle abritait déjà un grand nombre de journalistes français ou étrangers, qui tout en me traitant, de prime abord, avec une certaine arrogance, dans l'ignorance de qui j'étais, et des raisons pour lesquelles je me trouvais là, me faisaient quelquefois bénéficier de leurs analyses. Outre que même s'ils s'étaient abstenus complètement de me parler, il m'aurait suffi, pour me tenir informé, de prêter l'oreille aux conversations qu'ils avaient entre eux, et qui consistaient pour une part en controverses au sujet de la dangerosité de tel ou tel secteur, ou de tel ou tel point de passage entre des secteurs contrôlés par des partis adverses, ou encore du caractère plus ou moins malfaisant de chacun de ces partis, des crimes de guerre que l'on pouvait leur imputer à coup sûr et de ceux qui étaient sujets à caution. Après cela, le plus souvent, ils buvaient à l'excès, mais cela ne les empêchait pas de se lever tous les matins de bonne heure, et de vaquer dans la journée à leurs tâches avec un zèle remarquable.

À la longue, j'observai que parmi les journalistes, sauf exception, les plus accessibles n'étaient pas ceux qui disposaient des moyens les plus sophistiqués, et se déplaçaient en toutes circonstances dans des 4×4 blindés, mais ceux qui utilisaient dans leur travail de simples véhicules de tourisme, bosselés de gnons et parfois troués d'impacts, dont certains avaient tendance à développer des troubles mécaniques dans les endroits les moins appropriés. Je découvris aussi que parmi les seconds, si la plupart ne prenaient de risques qu'à la mesure des objectifs qu'ils s'étaient fixés – rencontrer tel ou tel chef de guerre, faire des images des combats en première ligne –, quelques-uns, que j'appelais les matadors, s'exposaient parfois au danger sans véritable nécessité, par défi, histoire d'éprouver jusqu'à quel point ils pouvaient approcher la corne du taureau. Ceux-là, dans les moments les plus chauds, empruntaient de préférence des itinéraires sur lesquels ils étaient à peu près assurés de se faire tirer dessus, sachant d'ailleurs que surtout dans un conflit de ce genre, mettant aux prises des amateurs plus souvent que des professionnels, beaucoup de projectiles, en fait la plupart, manquent leur cible et vont se perdre dans la nature. Malheureusement – dans la mesure où j'étais personnellement peu enclin à prendre des risques inutiles –, les matadors étaient en général les plus accueillants, ceux qui m'invitaient le plus volontiers à les suivre dans leurs excursions. Outre les relations d'amitié qu'elles me permirent de nouer avec certains – et dont je pensais qu'elles pourraient se révéler utiles lorsque je me serais introduit dans la poche –, ces excursions présentaient aussi l'avantage de me familiariser avec le décor dans lequel j'allais bientôt devoir évoluer seul, et de me faire identifier par exemple les passages les plus dangereux, afin de les éviter par la suite, ou les checkpoints tenus habituellement par des miliciens peu amènes. C'est ainsi qu'au bout de quelques jours, j'étais devenu un spécialiste de cette zone, et aussi – je le dis d'autant plus volontiers que tout le mérite en revient aux journalistes que j'accompagnais, sans jamais me prononcer sur le choix de telle ou telle destination – l'une des rares personnes à s'être rendues plusieurs fois, pendant la durée des événements, dans le périmètre des industries pétrochimiques installées sur le plateau de Lavera : même en temps de paix, ce périmètre pouvait être considéré comme dangereux, compte tenu de la toxicité des substances que l'on y manipulait – je me souviens d'avoir remarqué, sur le quai de la gare de Lavera (sur les voies de laquelle s'alignaient d'interminables convois de wagons-citernes rongés par la corrosion, et dont nul ne savait plus ce qu'ils contenaient), une manche à air qui pendait mollement à un mât, au-dessus d'un panneau expliquant qu'en cas d'alerte aux gaz toxiques il convenait de prendre la fuite face au vent –, et c'était évidemment une tout autre affaire depuis qu'il était la cible de bombardements sporadiques, comme je l'ai dit plus haut de la centrale électrique du Ponteau. Car la coalition qui tenait Port-de-Bouc était récemment parvenue à rétablir dans ce secteur une certaine activité, d'où elle tirait des revenus substantiels, et qui impliquait aussi qu'elle assure aux installations portuaires de Lavera, situées au débouché du chenal de Caronte, un niveau de sécurité compatible avec les exigences – à vrai dire limitées, les gains étant à la mesure des risques encourus – des rares compagnies qui acceptaient encore, par périodes, d'y faire escaler des navires spécialisés.

Au retour d'une de ces excursions, notre véhicule ayant été ralenti par un obstacle imprévu, alors qu'à Marignane nous franchissions la tranchée dans le fond de laquelle stagne le canal du Rove, un des journalistes a remarqué un gros 4 × 4, apparemment victime d'un tir de roquette, dont l'épave, après avoir creusé un sillon dans la végétation de la berge, gisait en contrebas de celle-ci, sur le toit, et prête à basculer dans l'eau verte. Présumant qu'un tel véhicule disposait d'une trousse à outils (et peut-être même d'un kit de premiers soins), dont le nôtre était évidemment dépourvu, le journaliste insista pour y aller voir, et nous sommes descendus tous les deux, avec précaution, car la hauteur et l'inclinaison de la berge faisaient qu'il était difficile de s'y tenir debout, jusqu'à l'épave, dans laquelle, après s'y être introduit à quatre pattes, le journaliste découvrit effectivement ce qu'il désirait y trouver. De mon côté, ce que j'ai retenu de cet incident, c'est surtout que la berge du canal orientée au sud, et donc exposée au soleil, était couverte de coquelicots, si densément que même vue de près elle paraissait uniformément rouge, tandis que sur la rive opposée, orientée au nord, il ne poussait que de l'herbe, parsemée çà et là de quelques touffes de chardons ou de genêts.

« There has been renewed fighting in the northern suburbs of Marseilles, chantonnait ce matin-là BBC News, and in the neighbouring city of Port-de-Bouc. » D'entendre prononcer le nom de Port-de-Bouc avec l'accent de la BBC, cela vous donnait l'illusion d'être loin, écoutant d'une oreille distraite les nouvelles des calamités frappant un pays exotique. Mais il n'y avait qu'à lever les yeux, depuis la terrasse aux iules, et à balayer du regard le secteur de l'horizon où confinaient l'étang de Berre et le golfe de Fos, pour constater qu'une quinzaine de kilomètres, tout au plus, vous séparait de ces combats renouvelés. Non qu'il y eût beaucoup à voir, d'ailleurs, à part quelques fumées se distinguant à peine de la brume matinale en voie de dissipation. Et on aurait pu penser qu'il s'agissait de simples feux de broussailles, tout de même un peu hâtifs, en ce début de printemps, si le spectacle n'avait été sonorisé d'une manière qui ne laissait aucune place au doute.

Lorsque j'ai quitté la villa, vers 8 heures du matin, ceux des journalistes que je connaissais le mieux étaient déjà partis. D'autres, qui étaient arrivés dans la nuit, dormaient encore, lourdement harnachés, à même le sol ou dans des canapés. L'un d'entre eux ronflait bruyamment, couché sur le ventre et la bouche ouverte, la jambe gauche pliée à angle droit et les deux bras largement écartés, dans une position évoquant jusque dans le détail celle d'un des suppliciés du *Tres de Mayo* (au point que si ce journaliste avait été un ami, je me serais inquiété de cette ressemblance comme d'un mauvais présage). Depuis les hauteurs sur lesquelles était située la maison, j'empruntai un sentier assez raide pour rejoindre la ville, où l'intensification des combats autour de Port-de-Bouc avait entraîné un regain de l'activité milicienne : toutes les routes menant vers le sud étant bloquées, je dus pour rejoindre le Jaï, qui apparaissait dans ce contexte comme la seule issue possible, traverser Marignane dans sa plus grande dimension, me heurtant en chemin à des checkpoints tenus par des énergumènes qui à plusieurs reprises me soumirent à des fouilles. (L'un des plus excités, observai-je, portait l'insigne à damier rouge et blanc de l'Oustacha, sur lequel il avait dû se rabattre, chez un brocanteur spécialisé, faute d'y avoir déniché la totenkopf qui sans doute eût fait son bonheur.) Le Jaï est un cordon dunaire – un lido – séparant l'étang de Berre de l'étang de Bolmon. Mais c'est aussi le nom du quartier linéaire, excentré par rapport à l'agglomération de Marignane, qui occupe l'extrémité nord du lido. À la sortie de la ville en direction de celui-ci, le chemin que je suivais, tantôt revêtu et tantôt non, longeait une partie désaffectée de l'aéroport, où la carcasse d'un vieil avion de ligne se désagrégeait au pied de deux hangars vides et venteux. Sur l'un des deux flottait le drapeau bleu des Nations unies. Je distinguai aussi un petit blindé de la FINUF, immobile, trois de ses six roues en l'air, dont la blancheur tranchait sur le fond jaune du champ de colza au milieu duquel il paraissait enlisé. Passé le quartier du Jaï, le chemin se confondait sur plusieurs kilomètres avec le cordon dunaire, bordé à l'ouest par une plage étroite, à l'est par une roselière où cohabitaient différentes espèces d'oiseaux d'eau.

Afin de m'introduire dans la poche, je m'étais présenté tout d'abord à l'entrée du viaduc de Martigues, sur lequel l'autoroute A 55 franchit le chenal de Caronte, mais j'avais trouvé celui-ci bloqué par des miliciens très nerveux, et qui m'en avaient interdit l'accès avec une particulière véhémence. Pendant que j'essayais de négocier avec eux, plusieurs obus de mortier étaient tombés dans le voisinage de leur checkpoint, et cet incident, bien qu'il n'eût pas fait de victimes, les avait rendus définitivement inaccessibles à toute argumentation raisonnable. Par la suite, j'ai suivi la rive orientale du chenal jusqu'à l'aplomb du pont ferroviaire de Caronte – celui qu'empruntait avant les événements la ligne du chemin de fer Marseille-

Miramas –, dont je savais qu'il avait été gravement endommagé, et que les autorités de Port-de-Bouc, dorénavant, le réservaient à un usage strictement militaire, afin de maintenir le contact avec celles de leurs unités qui étaient déployées dans le secteur de Lavera et menacées d'encerclement. Mais je savais aussi que dès la tombée de la nuit, dans ces parages, des passeurs faisaient traverser le chenal à des habitants de Port-de-Bouc désireux de quitter la poche, et le cas échéant, en sens inverse, à quiconque était volontaire pour y entrer. Dans l'après-midi, que j'ai passé la plupart du temps caché dans les roseaux, les deux rives du chenal étaient également désertes, et silencieuses hormis quand un obus venait s'y égarer, dont l'explosion faisait flotter brièvement un plumet de fumée noire parmi les lambeaux de garrigue ou les ruines d'anciens bâtiments industriels. À ma grande surprise, peu avant le coucher du soleil, j'ai observé sur la rive occidentale, et donc du côté de Port-de-Bouc, deux enfants, apparemment inconscients du danger, ou indifférents à celui-ci, et qui en quelques minutes, à l'aide d'une canne à lancer, parvinrent à pêcher plusieurs poissons, loups ou daurades, assez grands pour nourrir chacun une famille entière. À la nuit tombée, je distinguai vaguement, dans l'obscurité, des silhouettes qui s'agitaient sur la berge, d'où émanait un brouhaha de conversations, ou de négociations, poursuivies interminablement et sans grand souci de discrétion – à un moment, je perçus même les échos de ce qui me parut être une rixe, dont je présumai qu'elle opposait des candidats au départ et des passeurs exigeant d'eux un prix démesuré –, mais ce n'est que bien plus tard, peu avant l'aube, que les premières embarcations chargées de fugitifs ont atteint la rive sur laquelle je me trouvais. Puis le tablier métallique du pont de chemin de fer a vibré au passage d'un convoi acheminant des renforts ou du matériel vers Lavera, provoquant un début de panique parmi les fugitifs, et un accès de nervosité chez les passeurs, dont l'activité était considérée par les autorités de la poche comme un encouragement à la désertion, et par conséquent réprimée. Celui dans la barque duquel je pris place, cependant, ne fit aucune difficulté pour m'y accueillir, puis me transporter jusqu'à la rive opposée. Et tant il était surpris par ma démarche, ce n'est qu'à mi-parcours, alors que le ciel commençait à pâlir, augmentant les risques d'être découverts, qu'il se mit à ergoter sur le prix du passage, pour accepter finalement la somme très modeste qu'à tout hasard je lui avais proposée. Une fois débarqué, à la hauteur du pilier rond supportant la partie mobile du pont de chemin de fer, et le passeur, sitôt sa barque remisée sous un abri de toile, s'étant évanoui dans la nature, il m'apparut que je n'étais pas au bout de mes peines. En effet, durant mon séjour sur les hauteurs de Marignane, je n'avais rencontré personne qui eût accédé de cette façon à Port-de-Bouc, et je n'avais donc aucune idée de l'itinéraire qu'il convenait d'emprunter pour échapper aux contrôles ou à d'éventuels tirs de snipers. Je commençai par suivre la berge, mais bientôt elle devint impraticable, et je dus longer une voie ferrée envahie par la végétation, tout d'abord, puis, lorsqu'elle s'interrompit, un pipeline qui dans des temps plus propices avait acheminé de l'hydrogène. Quand il me sembla que la berge était de nouveau accessible, je la rejoignis, pour tomber après quelques centaines de mètres sur un marécage que je dus traverser en y enfonçant jusqu'aux genoux : et cela, me disais-je, alors que je n'avais pu prendre avec moi qu'une très petite quantité d'affaires de rechange, parmi lesquelles ne figurait aucune paire de pompes. Les deux derniers kilomètres, je les ai parcourus plus confortablement, sur une chaussée caillouteuse striée de voies de chemin de fer, parmi lesquelles poussaient en abondance de la valériane, rose, et, jaune, du genêt. Et c'est ainsi que finalement j'entrai dans Port-de-Bouc par l'avenue Gérard-Baudet.

Il devait être près de midi lorsque j'ai atteint le square Ambroise-Croizat, et le peu de bruit qui parvenait de la zone des combats témoignait d'une accalmie, au moins passagère, de ceux-ci. À tout prendre, le nom d'Ambroise Croizat m'était plus familier que celui de Gérard Baudet – même si j'étais encore loin de me douter, à ce moment-là, que plusieurs dizaines de milliers de personnes avaient suivi la dépouille du premier, en 1951, lors de ses funérailles au Père-Lachaise –, et d'ailleurs un petit monument lui était dédié, en bordure du square, qui rappelait succinctement ses états de service. Quant au buste qui couronnait le monument, livide dans l'ombre bleutée des platanes, celle-ci toute bruissante de gazouillis, il avait dû recevoir un projectile, balle ou éclat, de telle sorte qu'à la tête d'Ambroise, désormais, il manquait la moitié du nez. J'étais en train d'observer ce détail, et de m'efforcer de reconstituer mentalement les traits du visage ainsi défiguré, lorsqu'une voiture a surgi, franchissant dans ma direction le pont qui à ce niveau enjambe le canal de Fos à Port-de-Bouc, dans laquelle plusieurs miliciens avaient pris place. Avant même qu'ils m'aient abordé, la peinture kaki dont était badigeonnée leur voiture me l'avait désignée comme un véhicule militaire. Ayant freiné brutalement à ma hauteur, et jailli de la voiture avec la même impétuosité que si je venais de m'en échapper, les miliciens m'ont demandé ce que je faisais là, qui j'étais, d'où je venais, enfin ce genre de choses. Et comme c'était un peu long à expliquer, un peu confus, aussi, ils ont pris le parti raisonnable de me déférer aux autorités. Puis par des rues que je n'eus guère le loisir d'identifier, dans la position que j'occupais au milieu de la banquette arrière, les mains menottées dans le dos et la tête sur les genoux, j'ai été acheminé en toute hâte jusqu'au bâtiment qui abritait les principaux organes du gouvernement populaire. Il s'agissait apparemment d'un hôtel, mais de dimensions si imposantes qu'elles semblaient disproportionnées avec le reste de la ville, et avec ce que je pouvais savoir, ou deviner, de sa vocation touristique. Sans doute, me disais-je, cet hôtel si vaste, plein de couloirs ombreux et de salles de réunion, doté même d'une piscine, constituait-il, à l'instar de la toponymie de Port-de-Bouc, avec laquelle je devais me familiariser par la suite, un vestige de la splendeur passée du Parti communiste. (En chemin, mes accompagnateurs m'avaient relevé la tête pour me faire admirer un « arbre de l'amitié entre les peuples » planté en 1967 par Youri Gagarine, le « premier homme de l'espace », témoignage de la faveur dont jouissait alors Port-de-Bouc jusqu'au plus haut niveau de la hiérarchie soviétique.) Pour commencer, on me fit attendre dans le hall, lui-même vaste, qui desservait ces si nombreux couloirs, et que traversaient à tout instant des groupes de miliciens en treillis, armés ou non, et des civils des deux sexes également affairés, porteurs de paperasses, de plateaux-repas ou de tampons encreurs. Tout cela, je dois le dire, dans un climat d'urgence, ou d'inquiétude – il ne faut pas oublier que le front de la N 568 était régulièrement sur le point de céder –, tempéré par une certaine nonchalance, une propension intacte aux congratulations et au caquet, que dans ma grande fatigue, après tous les efforts que j'avais déployés depuis la veille, j'attribuais paresseusement à la persistance, malgré tout, d'une forme de bonhomie méridionale (paresseusement, car il n'est pas avéré qu'une telle bonhomie ait jamais existé, outre que la moitié au moins des miliciens, sinon des bureaucrates, étaient étrangers à la région, et venus pour certains d'aussi loin que le Venezuela ou le Chili). Ceux qui faisaient moins bonne figure, cependant, c'étaient les prisonniers, tous de présumés djihadistes, que par commodité on avait entassés dans la piscine, celle-ci de taille quasiment olympique, bien que vidée pour la circonstance de toute son eau, et recouverte sur la plus grande partie de sa surface par une bâche. Ces prisonniers, inévitablement hirsutes, et pour la plupart longuement barbus, si généralement ils se tenaient cois, invoquaient à grands cris le nom de Dieu, tous en chœur, chaque fois que les gardes venaient s'emparer de l'un d'eux pour le conduire à l'interrogatoire, ou le réinsérer, après usage, dans la masse mouvante qu'ils formaient ensemble, un peu à la manière dont le maître d'hôtel se saisit adroitement d'un homard, ou d'un tourteau, dans l'aquarium d'un restaurant de luxe, et l'y replonge si le client, versatile, exprime sa préférence pour le crustacé d'à côté. Au milieu de l'après-midi – tant on me tenait pour quantité négligeable, à moins que cette attente, préméditée, n'ait été ménagée qu'afin de me mettre en condition pour l'interrogatoire qui allait suivre –, j'ai été moi-même extrait du hall et dirigé vers le bureau de ce qu'ils appelaient le Service d'investigation militaire (SIM), sans doute par référence à l'organisme du même nom mis en place par les autorités républicaines du temps de la guerre civile espagnole, et qui ne s'était pas signalé, à l'époque, par le tact de ses méthodes ou le succès de ses entreprises. Puis je dus attendre à nouveau devant la porte d'un bureau, qu'une plaque en cuivre, reliquat du passé hôtelier de l'établissement, désignait comme la « salle de remise en forme » de l'« Institut Opale de Bien-Être et d'Harmonie ». Dans le fond du couloir, là où il faisait un coude avant de s'enténébrer, une ouverture vitrée, orientée à l'ouest, donnait sur la plage des Aigues Douces, juste en contrebas de l'hôtel, et plus loin, au-delà d'une étendue de mer supportant quelques navires au mouillage, sur les installations industrielles et portuaires de Fos-sur-Mer – celles-ci prolongées vers le sud par une langue de terre plate, basse sur l'eau, revêtue d'une végétation uniforme, qui de cette distance présentait curieusement l'aspect d'une mangrove. Par la suite, je devais observer que dans cette direction, et en cette saison, le soleil disparaissait un peu avant 21 heures au milieu des superstructures de la sidérurgie, et plus précisément entre les deux hauts fourneaux, désormais refroidis, qui avaient été parmi les derniers de leur espèce en France.

L'arbre planté par Youri Gagarine – un pin maritime –, cela faisait maintenant plusieurs semaines qu'il dépérissait : au point que de ses aiguilles, près des trois quarts déjà présentaient cette couleur de rouille annonciatrice d'une fin prochaine. Et toutes les ressources du matérialisme dialectique s'étaient avérées impuissantes non seulement contre ce dépérissement du pin, vraisemblablement imputable à la chenille processionnaire, mais contre la superstition populaire qui l'interprétait comme un signe de la chute imminente de la poche. Les gens qui empruntaient la rue de la République pour se rendre à la Poste – bien que celle-ci, dorénavant, ne distribuât pas plus de courrier qu'elle n'en acceptait, mais c'était toujours là que les retraités percevaient leur pension, et certains des miliciens leur solde –, les gens qui empruntaient la rue de la République, une fois parvenus au débouché de celle-ci dans la rue Charles-Nedelec (ou dans le boulevard Dominique-Nicotra, selon qu'ils regardaient sur leur droite ou sur leur gauche), évitaient de lever les yeux sur le renfoncement, trop modeste pour mériter le nom de square, où le cosmonaute soviétique, en 1967, avait planté son arbre. C'est en ce point, pourtant, que nous retrouvons le narrateur – qui n'a pas encore développé, vis-à-vis de la poche, un tel sentiment d'appartenance qu'il se soucie d'interpréter les signes avant-coureurs de sa chute –, quelques heures après l'avoir quitté devant la porte de la salle de remise en forme. La nuit est tombée, entre-temps. Et c'est dans l'obscurité qu'au sortir de l'hôtel – celui qui abrite les principaux organes du gouvernement populaire –, apparemment libre de ses mouvements, ce qui semblerait indiquer que son interrogatoire s'est déroulé sans encombre, il s'est dirigé vers la plage des Aigues Douces, et s'y est déchaussé pour faire quelques pas dans le ressac. Puis, rechaussé, il a suivi l'avenue du Golfe jusqu'à la jetée du port, dont les enrochements accueillent une nombreuse population de chats errants : si nombreuse, en fait, que par moments, lorsque le vent ne rabat pas sur la ville les effluves écœurants de la pétrochimie, il émane de ces enrochements une non moins alarmante odeur de fauve. Là où elle vient finir sur le front de mer, au terme d'une trajectoire de plusieurs kilomètres qui l'a vue traverser toute la partie de la ville située au sud de la RN 568, au niveau de laquelle nous savons que des combats sont en cours, le narrateur s'engage vers le nord dans l'avenue Maurice-Thorez, bordée des deux côtés d'arbres d'alignement qui pour la plupart sont des pins, tous en bonne santé, sans aucun signe de cette maladie qui a frappé l'arbre de Gagarine, et ponctuée régulièrement, sur ses bords, de plaques portant le nom du leader communiste : plaques taillées quant à elles dans un matériau noble, élégamment funéraire, qui peut être du marbre ou du granit rose. La remontée de cette avenue Maurice-Thorez fait découvrir au narrateur, successivement, deux des obstacles auxquels se heurterait inévitablement toute tentative de s'emparer du cœur même de Port-de-Bouc : d'abord le large fossé au fond duquel il voit miroiter les voies du chemin de fer Marseille-Miramas, puis la tranchée du canal, dont les berges abruptes, dans ce contexte, lui semblent particulièrement dissuasives. Au-delà, le vacarme diffus provenant de la RN 568 se fait plus insistant, bien qu'avec la nuit il ait perdu beaucoup de son intensité. Revenant sur ses pas, attentif à ces bruits lointains, il rejoint l'intersection de l'avenue Maurice-Thorez et du boulevard Dominique-Nicotra, avant de s'engager dans celui-ci jusqu'au point où il devient la rue Charles-Nedelec, et de tomber en arrêt devant l'arbre planté par Youri Gagarine. À cette occasion, le narrateur observe qu'au-dessus de ce renfoncement où l'arbre fut planté, une terrasse, accessible par un escalier d'une dizaine de marches, s'étend au pied d'un bâtiment parallélépipédique évoquant une salle paroissiale, orné sur l'une de ses faces d'un bas-relief représentant le cosmonaute à côté de son vaisseau spatial. Devant le bas-relief, un palmier vigoureux semble défier le pin malade, qu'il domine de toute la hauteur du mur soutenant la terrasse. Après quoi, l'homme qui l'a interrogé dans les locaux du SIM lui ayant obligeamment indiqué l'adresse d'un hôtel, le Falcon, situé près de la gare, c'est vers celui-ci que le narrateur se dirige.

L'hôtel Falcon présentait à la rue Gambetta une façade agréablement décrépite, en partie masquée par le feuillage des platanes. De ce côté, les fenêtres étaient obscurcies et leurs volets clos, en application des consignes de la défense passive. Un rai de lumière, cependant, filtrait sous la porte de l'établissement, émanant du comptoir, attenant à la réception, auquel je trouvai accoudés quelques jeunes gens fourbus, à demi ivres pour certains, et presque tous me considérant avec méfiance. Bien sûr, il y avait de quoi, même si l'hôtelier avait pu vérifier que mes papiers étaient en règle, et que le SIM m'avait délivré par surcroît un laissez-passer m'autorisant à me rendre sur le front, sous réserve de son acceptation par les responsables des unités concernées. Les jeunes gens fourbus s'étaient repassé le document et l'avaient examiné soigneusement, l'un d'entre eux avait fait mine de le déchirer, puis j'avais payé ma tournée et l'atmosphère, à la longue, s'était détendue entre nous. En grande partie, il convient de le préciser, parce que j'avais repéré au-dessus du bar, dans la pénombre, un portrait de Buenaventura Durruti, le leader anarchiste du temps de la guerre civile espagnole, et que j'avais manifesté non seulement de la sympathie à son égard – sympathie, ou admiration, que j'éprouvais d'ailleurs sincèrement, avec quelques réserves dont j'évitai de leur faire part –, mais une assez bonne connaissance de sa biographie, et des circonstances non éclaircies dans lesquelles il avait été tué lors des combats de la Cité universitaire à Madrid. Était-il mort d'une balle franquiste, ou bien étaient-ce les staliniens, avec lesquels il s'était engagé dans une alliance périlleuse, qui l'avaient abattu dans son dos ? Parmi les miliciens, il se trouvait autant de partisans de l'une et de l'autre hypothèse, de telle sorte que je m'abstins de leur exposer ma conviction personnelle. Tous appartenaient à une brigade nommée d'après le chef anarchiste, et déployée en ce moment dans le secteur du front situé à l'extrémité nord de l'avenue Maurice-

Thorez, le long de ce boulevard Frédéric-Chopin – l'une des rares artères de Port-de-Bouc honorant une personnalité consensuelle – qui fait face au quartier des Amarantes de part et d'autre de la route nationale. Au bout d'une heure, grâce à Durruti, ils m'avaient adopté, plus ou moins, et c'est sans trop de réticence qu'ils me proposèrent d'occuper une chambre où logeait habituellement un des leurs, lequel avait reçu quelques jours auparavant une blessure assez grave pour être transféré à l'hôpital. En revanche, la photo du fils que je leur présentai – une photo ancienne, à vrai dire, Victoria n'en possédant aucune autre, et sur laquelle il avait l'air d'un premier communiant plutôt que d'un milicien anarchiste –, cette photo ne leur évoquait personne en particulier, même s'ils durent admettre qu'ils ne connaissaient pas tous les combattants des autres unités, et que d'ailleurs, en dépit des efforts du commandement pour prévenir de telles défections, il arrivait souvent que ceux qu'ils appelaient des combattants du dimanche ne fassent sur le front que de brèves apparitions, avant de s'éclipser, provisoirement ou définitivement, après avoir éprouvé qu'ils n'étaient pas de taille à affronter durablement de telles conditions. Le lendemain matin, de bonne heure, je fus surpris de me réveiller dans cette chambre où ne se voyait aucun meuble, à l'exception du lit, mais en revanche quantité de choses dangereuses, impropres à tout usage domestique, telles que des caisses de munitions, ou des armes remisées, apparemment, parce que défectueuses. Il s'y trouvait également quelques livres, parmi lesquels le *Voyage au bout de la nuit*, des romans policiers dont les titres m'étaient inconnus, et un volume d'Henri Michaux, *La nuit remue*, auquel il manquait plusieurs pages. C'est en feuilletant celui-ci que j'entendis des portières claquer, dans la rue Gambetta, et des voitures démarrer en faisant patiner leur embrayage : voitures dont je présumais qu'elles conduisaient au front les autres pensionnaires de l'hôtel, qui la veille au soir, lorsque nous nous étions séparés, m'avaient invité, sur un ton goguenard, et comme s'ils doutaient de ma capacité ou de ma volonté de le faire, à les retrouver dans la journée sur les positions qu'ils occupaient en première ligne. Vers 9 heures du matin, après avoir échangé quelques mots et bu un café avec le patron de l'hôtel – un vrai café, car la ville, pour l'instant, ne manquait de rien, ou de rien d'essentiel, du fait des échanges qu'elle maintenait par la voie maritime avec le monde extérieur, et de la relative prospérité que lui assurait l'exportation de produits pétroliers, en dépit des aléas auxquels était soumise cette dernière –, je rejoignis la rue Charles-Nedelec et je m'y engageai dans la direction de l'avenue Maurice-Thorez. Ce matin-là, le bruit des combats se faisait entendre dans toute la ville, mais il ne devenait envahissant qu'une fois passée cette espèce de vallée ferroviaire qui s'ouvre en contrebas du boulevard Jean-Christofol, le long duquel des camionnettes marquées d'une croix rouge, ou de simples véhicules de tourisme, sirènes et klaxons hurlants, venaient déposer des blessés dans l'hôpital de fortune qui occupait les locaux du lycée Charles-Mongrand. Au nombre de ces véhicules, ou des rotations qu'ils effectuaient, à l'empressement et à la nervosité de leurs conducteurs, on pouvait juger de l'intensité des combats, dont les premières traces matérielles n'apparaissaient qu'un peu plus loin, au niveau des trois immeubles jaunes situés à l'angle de l'avenue Maurice-Thorez et de l'avenue Paul-Langevin. De ceux-ci, les étages supérieurs présentaient une irrégulière et délicate broderie d'impacts de tous calibres, et çà et là quelques gros trous, aux bords étoilés, résultant de tirs de roquettes. Au pied de ces immeubles, entre des berges couvertes de pins, torses, et de touffes de genêts, le canal, d'une coloration vert émeraude dans la lumière du matin, d'un côté filait droit vers le golfe de Fos, et de l'autre amorçait une courbe, dans la direction du port, qui bientôt le dérobait au regard. Sur la rive opposée, l'explosion d'un projectile avait déclenché un incendie qui se propageait rapidement, parmi les pins et les genêts, ronflant et crépitant au point de couvrir par moments les bruits en provenance de la ligne de front, distante d'à peine quelques centaines de mètres, et dégageant une fumée si dense que l'air en devenait irrespirable et que l'on n'y voyait plus d'un bout à l'autre du pont. C'est ainsi qu'aveuglé et à demi asphyxié par la fumée, m'étant heurté, sitôt franchi le canal, au mur de containers qui obstruait l'avenue Maurice-Thorez, je me suis retrouvé, sans trop savoir comment, errant parmi les tombes du cimetière, au milieu des fragments de leurs ornements funéraires, angelots de plâtre ou plaques à l'effigie du défunt, qu'un bombardement récent avait pulvérisés. (Il semblait aussi que le bombardement eût éventré quelques tombes et exposé au grand jour leur contenu, mais, de cela, je ne voulus pas m'assurer.) Le cimetière s'étendait en contrebas du quartier que délimitait au nord la RN 568, et dont les immeubles situés de ce côté constituaient un segment, momentanément le plus actif, de la ligne de front. En remontant l'allée centrale, plantée de cyprès et de pins maritimes, avec le sentiment que la proximité des morts et le couvert des arbres me mettaient à l'abri de toute entreprise homicide me visant personnellement, sinon d'un nouveau bombardement, j'observai que parmi les tombes restées intactes plusieurs étaient rehaussées d'un auvent de ciment, ou de granit, qui les recouvrait sur un tiers environ de leur surface, un peu à la manière d'une capote de fiacre, et dont je présumais que certains avaient été utilisés pour se protéger des tirs adverses, par les défenseurs de la poche, lors des combats qui au début du siège avaient amené les djihadistes presque jusqu'à la tranchée du canal. Au-dessus du cimetière, à l'ouest de celui-ci, on distinguait à travers la fumée et le feuillage des arbres les étages supérieurs des immeubles situés en retrait de l'actuelle ligne de front, et qu'il me fallait atteindre, d'une manière ou d'une autre, si je voulais honorer ma promesse, ou tenir mon pari, de retrouver les miliciens avec lesquels j'avais fraternisé, la veille, au bar de l'hôtel Falcon.

Le plus curieux, de mon point de vue de néophyte, c'était que les djihadistes saluent d'un « Allah Akbar ! » non seulement chaque coup qu'ils portaient, mais aussi, et même avec un surcroît d'enthousiasme, chaque coup qu'ils recevaient. L'un dans l'autre, cela faisait une suite presque ininterrompue de ces invocations, auxquelles les défenseurs de la poche répondaient de loin en loin par quelques blasphèmes bien sentis. Quelquefois, et de préférence lorsque aucun journaliste ne se trouvait dans les parages, ils diffusaient aussi, amplifiés par des haut-parleurs, des grognements de porcs, parmi d'autres cris d'animaux. Du huitième et dernier étage de l'immeuble le plus proche de la RN 568 – ou de ce qu'il restait de cet immeuble, à force de trous et d'écroulements –, quelqu'un qui se serait penché au-dehors, s'il était resté en vie assez longtemps pour voir quoi que ce soit, aurait pu observer qu'en contrebas du boulevard Frédéric-Chopin, la route nationale qui séparait les deux camps s'engageait dans une longue descente, en pente douce, dans la direction de Fos-sur-Mer, dont on reconnaissait au loin l'aciérie, et au nord de celle-ci le vieux village, juché de manière incongrue sur une butte en forme d'enclume. Sur toute cette section de son parcours, la route était criblée de cratères et jonchée de hachis divers, et de même, verticalement, les blocs de logements qui la dominaient, à la limite du quartier des Amarantes. Au-dessus de ce capharnaüm flottaient des drapeaux noirs revêtus de calligraphies. Entre les deux versants de la ligne de front, la passerelle piétonnière et cyclable, en forme de tunnel, qui les avait autrefois réunis, dressait de part et d'autre de la route nationale deux moignons aux bords déchiquetés, sa partie centrale reposant quelques mètres plus bas sur la chaussée. À l'intérieur de l'immeuble longeant le boulevard Frédéric-Chopin, au niveau du dernier étage, le spectacle était de même nature bien qu'à une échelle plus réduite. Pour passer d'un appartement à un autre sans se découvrir, on avait pratiqué dans les cloisons, à coups de masse, des ouvertures de taille humaine, dont l'enfilade révélait, dans une succession d'autant plus rapide, et chaotique, que le contexte n'invitait pas à s'attarder, des sortes de dioramas, à la manière de ceux que l'on voit dans les musées d'histoire locale, illustrant différents aspects de ce qu'avait été la vie quotidienne des habitants de ces logements, hommes et femmes, adultes ou enfants, avant qu'ils n'en soient chassés par la guerre. Dans un salon dont le très lourd mobilier turc, en faux Louis XV – de même que la tapisserie chinoise en fibres synthétiques représentant des tigres à l'affût –, autorisait diverses hypothèses, quant aux origines géographiques de ses anciens occupants, j'ai retrouvé certains de mes camarades du Falcon, qui étaient trop absorbés par leurs tâches du moment pour s'occuper de moi, mais également Maussifrotte, un photographe que j'avais rencontré quelques jours auparavant à Marignane, et avec lequel j'avais sympathisé. Maussifrotte – que ses confrères, par commodité, désignaient le plus souvent par les deux dernières syllabes de son nom – faisait partie des matadors, et lorsque je l'ai rejoint, il justifiait cette réputation en prenant des risques excessifs, au moins de mon point de vue, pour photographier quelques débris épars dans le no man's land, à travers une brèche ouverte dans la façade du huitième étage par l'explosion d'une roquette, et dans l'encadrement de laquelle il devait offrir une cible idéale (même si dans la matinée, et d'ailleurs la plupart du temps, les djihadistes avaient le soleil dans l'œil, ce qui nuisait à la précision de leur tir). Profitant de ce qu'il s'était replié dans le fond de la pièce pour regarder les images qu'il venait de faire et avaler une barre vitaminée – qui devait constituer son premier repas de la journée, car c'était un type très frugal –, je lui montrai la photo que Victoria m'avait donnée du fils : après l'avoir examinée brièvement, Maussifrotte grommela que depuis trois jours qu'il évoluait sur le front du boulevard Frédéric-Chopin, il n'avait jamais rencontré personne qui lui ressemblât, même en faisant la part des années écoulées depuis que ce portrait avait été réalisé, mais qu'en revanche, dans un autre secteur du front, situé plus à l'est, et toujours en bordure de la RN 568, il lui semblait avoir croisé récemment un jeune milicien qui avait un peu la même allure. Maussifrotte ajouta qu'il me conduirait dans ce secteur si j'avais la patience de l'attendre quelques minutes, et « pourvu qu'il soit encore vivant à ce moment-là ». Une demi-heure passa, pendant laquelle je trouvai refuge, aussi loin que possible de la façade de l'immeuble, dans une chambre d'enfant – et même, plus précisément, de petite fille, à en juger par les peluches bien rangées sur le lit, ou les photos de chanteuses dont les murs étaient tapissés, et parmi lesquelles se remarquait un poster particulièrement suggestif de Miley Cyrus –, puis un calme relatif revint dans les parages du boulevard Frédéric-Chopin, un calme assez durable pour que Maussifrotte estimât le moment venu de changer de secteur.

Maussifrotte était curieusement vêtu d'un short mi-long à poches multiples, de couleur kaki, et d'un t-shirt informe, grisâtre, orné d'une tête de Mickey à demi effacée par l'usure, dont il n'avait pas dû changer depuis huit ou dix jours. À Marignane, déjà, j'avais eu l'occasion d'observer qu'il chantonnait volontiers en conduisant, et d'autant plus que le contexte était plus angoissant. Sa voiture (dont il est inutile de préciser qu'il s'agissait d'une épave, privée de sièges arrière et de la plupart de ses vitres) était garée en contrebas de l'immeuble le plus exposé, sur les hauteurs duquel nous nous étions retrouvés. Pour rejoindre l'avenue du Groupe-Manouchian, que nous devions emprunter dans la direction de Martigues, au lieu de faire le détour qui peut-être nous eût évité de rouler plusieurs centaines de mètres à découvert, il escalada un trottoir, il est vrai peu élevé, qui séparait le parking de la bretelle de sortie de la RN 568, se jeta dans celle-ci, puis franchit sur les chapeaux de roues, en slalomant adroitement au milieu des décombres, l'intersection avec l'avenue Maurice-Thorez, en pleine vue des positions que les djihadistes occupaient à la limite du quartier des Amarantes. Quand je lui fis remarquer que cet itinéraire n'était peut-être pas le plus approprié, Maussifrotte se contenta d'observer, sobrement, que « c'est toujours quand on cherche à se protéger qu'on ramasse », proposition qu'il est aussi aisé de démontrer que son contraire. Une fois dans l'avenue du Groupe-Manouchian, à l'abri désormais d'un tir direct, Maussifrotte a levé le pied, « afin de ménager, me dit-il, la tranquillité des habitants », qui étaient encore nombreux dans ce quartier, surtout des vieux, dont beaucoup semblaient ne pas comprendre ce qui se passait autour d'eux. Sans en avoir l'air, c'était un type délicat, Maussifrotte, et dont je forme des vœux pour qu'il ait survécu à cette guerre, comme il avait survécu déjà à beaucoup d'autres. Un peu avant d'atteindre l'intersection avec l'avenue Clément-Mille, au niveau d'un bâtiment jaunâtre qui avait abrité un hôtel, et dont le toit plat devait offrir une vue plongeante sur le parking du Carrefour, dominé par la RN 568, et au-delà de celle-ci sur un paysage peu lisible, mais pavillonnaire et boisé, c'étaient de nouveau le désordre et la confusion qui régnaient. Devant le bâtiment était échoué un char T 55 déchenillé, le canon bas, dont Maussifrotte me dit qu'il provenait des surplus de l'armée croate, qui elle-même le tenait de la milice chrétienne des Forces libanaises, qu'il était arrivé à Port-de-Bouc quelques semaines plus tôt et qu'il n'avait jamais servi à rien, sinon à faire du bruit et à dégager de la fumée, dans la mesure où les caisses de munitions qui l'accompagnaient avaient été égarées, peut-être délibérément, pendant son transport par voie de mer ou à l'occasion de son déchargement. Sitôt débordé le bâtiment jaunâtre, et le char à demi centenaire qui stationnait à ses pieds, on voyait qu'il était en train de se passer quelque chose – ou, plus vraisemblablement, que quelque chose venait de se passer, qui touchait à sa fin – dans le voisinage du Carrefour et de son parking, sur lequel des miliciens s'affairaient, près de la station d'auto-lavage, autour d'un dépôt de bouteilles de gaz dont plusieurs avaient explosé, déclenchant un incendie qu'ils s'efforçaient de maîtriser. D'autres miliciens couraient à travers le parking, quelques-uns traînant ou soutenant des blessés dont certains pouvaient être aussi des prisonniers. Maussifrotte gara la voiture devant le McDo, d'où émanait encore une odeur de graisse cuite, bien qu'il eût cessé de débiter depuis plusieurs semaines. Peut-être parce qu'il était abrité par le remblai de la route nationale, le bâtiment n'avait que peu souffert, par comparaison avec celui, mitoyen, du centre commercial, quant à lui effondré, et réduit sur la moitié au moins de sa longueur à un amas de tôles enchevêtrées d'où l'on parvenait à extirper chaque jour quantité de choses bonnes à manger, à côté de marchandises, telles des bombes de mousse à raser, ou des lots d'ampoules halogènes, qui risquaient moins d'être périmées. À l'intérieur du McDo, lorsque nous y sommes entrés, l'état-major de l'unité qui tenait ce secteur du front était occupé à faire le bilan des événements de la matinée. Une heure auparavant (c'est-à-dire au moment où je reprenais mes esprits dans la chambre d'enfant décorée notamment d'un poster de Miley Cyrus), les djihadistes avaient tenté de franchir la RN 568 en plusieurs points, mais leur assaut, si vigoureux, et si soudain, qu'il avait d'abord entraîné un début de panique parmi les miliciens, s'était enlisé presque aussitôt dans le fossé, ou la tranchée, qui courait à mi-hauteur du remblai de la route nationale, parallèlement à celle-ci, et pratiquement invisible, masqué comme il l'était par les pins, les chênes verts et les genêts en fleur, aussi longtemps que l'on n'était pas tombé dedans. Parmi les djihadistes qui s'étaient empêtrés dans les ronces de ce fossé, par ailleurs truffé de mines antipersonnel – dont Maussifrotte, qui savait tout, m'assura qu'elles étaient d'origine iranienne –, plusieurs avaient été faits prisonniers. Les commandants locaux de la milice étaient de bonne humeur, au sortir de cet affrontement victorieux, et ils acceptèrent volontiers, assis autour d'une table du McDo, de regarder la photographie du fils de Victoria – car c'est ainsi que je le présentai, omettant de signaler qu'il s'agissait peut-être aussi du mien –, que seul un d'entre eux crut reconnaître, et encore sans certitude, comme l'un des miliciens qui avaient déserté, ou s'étaient évanouis dans la nature, le mois dernier, à l'issue d'un affrontement particulièrement meurtrier (c'était à cette occasion que les djihadistes, dans le périmètre du cimetière, s'étaient avancés presque jusqu'à la tranchée du canal). Le commandant qui me donnait ces informations paraissait sincèrement gêné, comme s'il avait craint de me blesser en révélant le comportement peu glorieux de quelqu'un dont il devait penser que j'étais proche. Au terme de cet entretien, Maussifrotte, estimant qu'aujourd'hui il ne se passerait plus rien dans ce secteur, a décidé de regagner le boulevard Frédéric-Chopin, déclinant l'offre que je lui avais faite de déjeuner avec moi dans le quartier du port, et il m'a déposé, sur son chemin, à l'angle de l'avenue du Groupe-Manouchian et de l'avenue Ambroise-Croizat.

Ainsi le narrateur, dans les mouvements désordonnés qu'il décrit à l'intérieur de la poche, soi-disant à la recherche du fils, bien qu'il donne parfois l'impression de ne pas s'en soucier plus que ça, ainsi le narrateur est-il de retour à son point de départ, au pied du buste amputé de son nez d'Ambroise Croizat. Auparavant, et depuis que Maussifrotte l'a déposé à l'angle de l'avenue nommée d'après le précédent, il s'est fait au moins deux réflexions, l'une et l'autre de portée générale, au sujet de la guerre. Premièrement, que le cœur de celle-ci, indépendamment de l'ampleur des combats ou de leur intensité, peut être envisagé comme un certain volume d'air à l'intérieur duquel des morceaux de métal, de poids et de forme variables, volent en tous sens à la recherche de chairs à déchiqueter et d'os à rompre. Deuxièmement, que là où la densité de tels fragments, si on essaie de se la représenter, devient mentalement acceptable – par exemple, là où peuvent exploser de temps à autre une roquette ou un obus de mortier, mais où il n'en tombe pas à tout instant –, même si elle continue d'entraîner un risque vital bien supérieur à celui que l'on serait prêt à affronter en temps de paix, l'activité humaine se poursuit, ou reprend, presque comme si de rien n'était. Au débouché de l'avenue Ambroise-Croizat dans l'avenue du Groupe-Manouchian, c'est-à-dire à quelques centaines de mètres de la ligne de confrontation, mais à l'abri pour l'instant des tirs directs – à l'exclusion, par conséquent, de tout ce dont la trajectoire est parabolique, ou simplement hasardeuse –, on observe que des gens, souvent des personnes âgées, cultivent leur petit jardin, d'autant plus opiniâtrement que la poche, en dépit des liens qu'elle maintient avec le monde extérieur, souffre d'une pénurie récurrente de produits frais, que d'autres vendent de tels produits – fruits, légumes, œufs de poule ou fleurs coupées – à même le trottoir, ainsi que des produits ne nécessitant qu'une activité limitée de transformation, tels que des tartes, des pizzas ou des sorbets de fabrication domestique, et que certains, poussant le bouchon un peu plus loin, promènent leur chien, jouent de la flûte ou font de la gymnastique aux échos peu lointains des échanges de tirs. Depuis le square en bordure duquel est érigé le monument à la mémoire d'Ambroise Croizat, le narrateur, à pied cette fois, et libre de ses mouvements, s'engage sur le pont au-dessus du canal : celui-là même qu'il a franchi, la veille, confiné à l'arrière d'un véhicule de miliciens. Sur la gauche, dans l'alignement du canal, il aperçoit la silhouette extraordinairement gracieuse – extraordinairement si l'on considère qu'il s'agit d'un ouvrage défensif – du fort de Bouc, et, sur la droite de celui-ci, le quai où sont amarrés les remorqueurs. Empruntant la rue qui lui fait face, et négligeant de tourner dans la rue Gambetta où se trouve son hôtel, il atteint la place de la gare, d'où il rejoint en quelques pas la rue Charles-Nedelec, et les parages du résineux, malade aux dernières nouvelles, planté le 25 septembre 1967 par Youri Gagarine. Il apparaît alors qu'un attentat à la voiture piégée y a été commis, plus tôt dans la matinée, à l'heure où il devait se trouver quant à lui sur le front, qui a causé d'importants dégâts matériels mais pas de pertes humaines. Parmi les dégâts matériels, outre la destruction partielle d'un abribus, d'une cabine téléphonique double, de plusieurs lampadaires haussmanniens ou de la sculpture ornithomorphe érigée au pied de l'arbre planté par Gagarine, le plus significatif, symboliquement, est la disparition de cet arbre lui-même, dont seule subsiste, au ras du sol, une souche haute à peine d'un mètre et lacérée par les éclats : au point que l'on peut se demander dans quelle mesure ce n'est pas celui-ci, le pin malade, qui était visé par l'attentat. (L'une des hypothèses qui circuleront par la suite en imputera la responsabilité aux autorités de la poche – ou à tel ou tel de leurs services –, soucieuses de prévenir la mort naturelle de l'arbre, et de couper court aux spéculations à ce sujet.) Poursuivant son chemin, après avoir échangé quelques réflexions sans intérêt avec les badauds attroupés, le narrateur débouche dans l'avenue Maurice-Thorez, qui sur la droite, comme on le sait, mène au front, et sur la gauche vers la mer et l'avenue du Golfe. Dans cette direction, on atteint bientôt l'intersection avec la rue Michel-Ruiz, à l'angle de laquelle s'élève l'église catholique Notre-Dame de Bon Voyage, qui n'a de joli que son nom. Depuis le début des événements, l'afflux à Port-de-Bouc de militants d'extrême gauche ayant entraîné une véritable frénésie de réunions, le curé en accueille régulièrement dans son église, dont les thèmes sont affichés sur la porte à côté de l'horaire des messes (ces dernières, est-il obligé de constater, attirant beaucoup moins de monde). D'après l'affiche, les deux prochaines réunions, prévues dans la soirée, développeront les sujets suivants : « Transsexualité et lutte des classes », pour la première, et pour la seconde « L'agriculture biologique en temps de guerre ». À l'intérieur de l'église, le narrateur découvre une étrange statue de saint Pierre représenté debout, avec ses clefs, à l'avant d'une barque portant le nom de Port-de-Bouc. Observant qu'il reste quelques cierges dans le présentoir, il en choisit un de taille moyenne, en paiement duquel il glisse dans le tronc une pièce de deux groschen, et le dépose au pied de la Vierge Marie, ou de celui de ses avatars connu localement sous le nom de Notre-Dame de Bon Voyage. Puis par la rue Denis-Papin, il s'achemine vers le port de plaisance, et vers le quai aux terrasses duquel il faut qu'un bombardement exceptionnellement violent soit en cours pour faire fuir les derniers clients.

C'est à la terrasse d'un café du port, dans les odeurs d'hydrocarbures émanant des installations de Lavera, que le même jour, celui de ma visite au front, j'ai appris de la bouche d'une journaliste la destitution de Brennecke et son remplacement par un triumvirat. De qui se composait ce triumvirat, la journaliste ne le savait pas, et de même ignorait-elle ce qu'il était advenu de Brennecke : l'hypothèse la plus vraisemblable voulait qu'il fût vivant, et détenu dans les locaux de la FINUF à Saint-Amand. « Ainsi », me disais-je, avec une pointe de mauvaise foi, compte tenu des rapports que j'avais entretenus avec lui et des services que je lui avais rendus, « ainsi devait péricliter la carrière d'un aventurier sans scrupules ». Ce que Brennecke était incontestablement, entre autres choses. Un peu plus tard, lors de cette journée fertile en rebondissements, j'ai vu surgir Victoria, à pied, traînant une valise à roulettes, au débouché de l'avenue de la Mer, et je n'en ai pas été autrement surpris, Dieu sait pourquoi. Peut-être la libération de Victoria – sur les circonstances de laquelle elle ne voulut jamais se confier à moi, pas plus, d'ailleurs, que sur tout ce qui concernait son incarcération –, peut-être sa libération n'était-elle pas sans lien avec la destitution de Brennecke ? Peut-être Victoria avait-elle d'une manière ou d'une autre contribué à celle-ci, et avait-elle été relâchée en récompense de cette contribution ? Toujours est-il qu'elle vint s'asseoir à ma table, sur le quai, aussi naturellement que si nous nous étions quittés la veille. Et lorsque je lui fis part de mon échec dans la recherche du fils – avec délicatesse, j'évitai de mentionner l'hypothèse de sa désertion –, elle m'avoua dans un grand éclat de rire, comme s'il s'agissait d'une blague tout à fait innocente et particulièrement drôle, que celui-ci – le fils – était une créature de fiction, qu'elle n'avait inventée qu'afin de me convaincre de l'aider à prendre le large. Dans ma fureur, je lui répondis que je n'avais aucunement l'intention de m'occuper d'elle, désormais, et d'autant moins qu'entre-temps j'étais tombé amoureux d'Anna Schwartz.

« Anna Schwartz? » Elle eut de nouveau un petit rire, moins éclatant toutefois que le précédent. « Anna Schwartz, enchaîna-t-elle, a été renvoyée dans son pays », probablement après que l'on eut découvert de quelle façon elle m'avait aidé, au mépris du code déontologique de l'organisation qu'elle servait. L'idée que jamais je ne reverrais Anna Schwartz me déprima passablement, mais je parvins, du moins me semble-t-il, à n'en rien laisser paraître. Plus tard, alors que nous étions installés dans ma chambre à l'hôtel Falcon, et que nous venions d'y faire l'amour, Victoria exprima des regrets de m'avoir menti au sujet du fils. Le problème était que je ne pouvais plus lui faire confiance, dorénavant, au point même que je la soupçonnais d'avoir inventé non l'existence du fils, mais au contraire le caractère fictif de celui-ci. Car, enfin, tant Maussifrotte que le commandant rencontré dans le bâtiment du McDo l'avaient bien un peu reconnu, sur la photo, même si c'était avec hésitation. Et pourquoi Victoria, dont plus je la connaissais et plus il s'avérait qu'elle était capable de tout, ou peu s'en fallait, pourquoi Victoria, maintenant qu'elle avait atteint le but de son voyage, et le seul point de la côte où elle avait une chance de trouver un embarquement pour les Baléares (ou telle autre destination hors de France), pourquoi n'aurait-elle pas été susceptible de trahir son fils, s'il existait, et si par surcroît, en désertant, il s'était placé dans une situation difficile, suscitant un opprobre qui pouvait rejaillir sur sa mère ? Profitant de ce que l'électricité, généralement coupée dans la journée, avait été rétablie pour quelques heures, Victoria était en train de repasser une petite robe d'été, avec des gestes élégants et précis : de là où je me tenais pour l'observer, il me parut que la robe – courte, décolletée – était bleu marine à pois blancs.

On allait décidément vers l'été. Parfois les combats faiblissaient, semblaient près de s'éteindre, puis ils reprenaient avec une vigueur accrue. Désormais, les cigales se faisaient entendre, et de l'énervement que me causait leur chant, ou leur bruit, je conclus qu'il était peut-être à l'origine de mon absence de goût pour le Midi, au moins en cette saison. La situation générale ne s'améliorait pas dans la poche : la ligne de front n'avait que peu bougé – à la suite d'une grande offensive, consécutive à un arrivage massif d'armes fabriquées en Biélorussie mais de provenance inconnue, les milices d'extrême gauche étaient parvenues à traverser la RN 568 et à prendre pied dans le quartier de La Grand-Colle, mais elles n'avaient pu s'y maintenir plus de quelques jours –, l'activité pétrochimique dans le secteur de Lavera déclinait, faute d'approvisionnements réguliers, et du fait des bombardements de plus en plus meurtriers dont elle était la cible, les coupures d'électricité se faisaient plus longues et plus fréquentes, l'eau manquait, elle avait un goût de sel prononcé, les produits frais étaient de plus en plus difficiles à se procurer sur le marché. Les réunions du soir n'attiraient plus grand monde, à l'église ou en d'autres lieux, les effets de la malnutrition ayant sérieusement entamé l'intérêt du public pour des sujets tels que l'homoparentalité, la baisse tendancielle du taux de profit ou le danger des organismes génétiquement modifiés. Depuis plusieurs semaines, l'épave d'un pétrolier libérien, touché par des roquettes alors qu'il approchait de Lavera, se consumait devant l'entrée du port, dégageant d'abondantes fumées, âcres et chargées de suie, que le vent rabattait sur la ville lorsqu'il soufflait du sud-est. Au fur et à mesure que la situation se dégradait, d'autre part, la chasse aux déserteurs et aux réfractaires s'intensifiait, et les enlèvements de jeunes gens des deux sexes se multipliaient, un peu partout en ville, afin de boucher les trous qui se creusaient dans les rangs des milices. Toujours imprévisible, Victoria avait envisagé un moment de s'engager, comme combattante (ayant acquis à Salbris quelques notions de base dans le maniement des armes à feu, elle prétendait savoir démonter et remonter une kalachnikov les yeux fermés), mais j'étais parvenu sans trop de difficulté à l'en dissuader, et à restaurer son désir de quitter le pays pour trouver refuge à l'étranger. Le moment n'était pas le plus favorable à de tels projets, car les départs, clandestins, ou se donnant les apparences de la clandestinité, ne se faisaient qu'à la faveur de l'obscurité, et on entrait dans la période des nuits les plus courtes de l'année. Mais depuis peu, Victoria, qui était revenue de captivité lestée de sommes importantes, dont l'origine n'était pas moins mystérieuse que celle des armes de fabrication biélorusse, Victoria avait été mise en relation avec des fonctionnaires corrompus, ou corruptibles, qui lui avaient indiqué la marche à suivre pour embarquer discrètement sur un navire à destination des Baléares, puisque c'était toujours dans ces îles, pourtant très décriées, qu'elle avait l'intention d'émigrer. Par téléphone, elle communiquait de temps à autre avec une de ses amies qui depuis le début des événements s'était établie à Ibiza, où elle tenait maintenant un restaurant. Celui-ci assez prospère, m'assurait Victoria, pour nous employer tous les deux – elle en cuisine, et moi en salle – avant que nous ayons trouvé mieux. La principale difficulté provenait des autorités de l'État indépendant de Catalogne, qui s'efforçaient par tous les moyens de réduire l'afflux de réfugiés français : mais, là encore, Victoria ne doutait pas qu'avec l'argent dont elle disposait nous n'aurions pas trop de mal à passer à travers les mailles du filet. La seule chose qui aurait pu me retenir, personnellement – outre le doute qui parfois m'assaillait relativement à l'existence du fils –, c'était la nostalgie que j'éprouvais d'Anna Schwartz, même si la compagnie de Victoria, je dois le reconnaître, à la longue m'était devenue agréable (j'évitais de me demander si sa prodigalité était pour quelque chose dans l'évolution de mes sentiments à son égard). Afin d'échapper aux regards soupçonneux des miliciens cantonnés à l'hôtel Falcon, dont l'attitude était devenue moins amicale depuis que Victoria m'avait rejoint et que j'avais interrompu mes recherches du fils, nous avions déménagé pour nous installer dans un hôtel donnant sur le port de plaisance, et dont la clientèle était composée principalement de journalistes. C'est par eux que nous avons appris, vers la mi-juin, que Brennecke avait été exécuté, finalement, ou plus vraisemblablement assassiné, sans autre forme de procès, par les gens qui le détenaient à Saint-Amand, et dont les liens avec la FINUF étaient moins avérés qu'on ne l'avait dit tout d'abord. Victoria reçut cette nouvelle sans émotion apparente, éveillant chez moi la crainte diffuse qu'elle ne réagisse de la même façon si je venais à disparaître. (Et cela bien qu'elle m'eût affirmé, un soir, durant une période de calme, où nous nous promenions sous les palmiers miteux de l'avenue du Golfe, qu'elle n'avait jamais aimé que moi, depuis l'époque lointaine de nos parties de pêche à Châteauneuf.) La nuit du départ survint plus rapidement que je ne m'y étais attendu, sans doute dans la mesure où je n'avais pris aucune part à l'organisation de celui-ci. Vers dix heures du soir, le jour même du solstice d'été, on nous fit monter en gare de Port-de-Bouc à bord d'un de ces wagons-trémies, couleur de rouille, tractés par une locomotive diesel, qui régulièrement acheminaient des renforts ou des munitions à Lavera. En passant le chenal de Caronte, dans le fracas métallique du convoi sur le pont de chemin de fer, je me suis rappelé avec mélancolie les circonstances de mon arrivée dans la poche, alors que j'étais encore, ou de nouveau, libre comme l'air, et animé par l'espoir de retrouver le fils, certes, mais aussi, et après cela, de rejoindre au plus vite Anna Schwartz. Depuis la gare de Lavera, une voiture, tous feux éteints, nous a conduits à travers les installations de la pétrochimie jusqu'à la calanque du Ponteau, où d'autres personnes attendaient, invisibles dans l'obscurité, et d'ailleurs peu désireuses de se montrer, dans l'incertitude du sort qui leur était réservé.

chez d'autres éditeurs

Chemins d'eau, Éditions Maritimes et d'outre-mer, 1980, La Petite Vermillon, 2013

Journal de Gand aux Aléoutiennes, Jean-Claude Lattès, 1982, Payot, 1995, La Petite Vermillon, 2010

L'Or du scaphandrier, Jean-Claude Lattès, 1983, L'Escampette, 2008

La Ligne de Front, Quai Voltaire, 1988 (prix Albert-Londres), Payot, 1992, La Petite Vermillon, 2010

La Frontière belge, Jean-Claude Lattès, 1989, L'Escampette, 2012

Cyrille et Méthode, Gallimard, 1994

Joséphine, Gallimard, 1994, Points-Seuil, 2010

Zones, Gallimard, 1995, Folio n° 2913, 1997

L'Organisation, Gallimard, 1996 (prix Médicis), Folio n° 3153, 1999

C'était juste cinq heures du soir, avec Jean-Christian Bourcart, Le Point du jour, 1998

Traverses, NIL, 1999, Points-Seuil, 2011

Campagnes, Gallimard, 2000, La Petite Vermillon, 2011

Dingos suivi de *Cherbourg-Est / Cherbourg-Ouest*, Éditions du Patrimoine, 2002

L'albatros est un chasseur solitaire, Cent Pages, 2011

L'Aventure, photographies d'Isabelle Gil, La Table Ronde, 2011

Vu sur la mer, La Petite Vermillon, 2012

Dinard, essai d'autobiographie immobilière, avec Kate Barry, La Table Ronde, 2012

Achevé d'imprimer en janvier 2015
dans les ateliers de Normandie Roto Impression s.a.s.
à Lonrai (Orne)